W9-DBV-457

ПРОСВЕТА

ВЛАДИМИР К. МИЛИЧИЋ

ПУНИ МОДЕЛ СРПСКЕ ДВОСЛОЖНЕ МЕТРИКЕ

ПРОСВЕТА 2019.

Посвећено сенима младих
неписмених српских сељанки, које
су почетком 15. века створиле
новоштокавски дијалекат са
богатом прозодијом речи и
најмузичкију Европску двосложну
метрику, захваљујући утицају Рома.
И успомени на великог Вука.

Уместо предговора

ПРИЛОГ ЈЕЗИЧКОМ РАЗУМЕВАЊУ ИЛИ ЈЕСМО ЛИ НА ВУКОВОМ ПУТУ

У овој продукцијској шароликости, када је почесто профит главни књижевни аргумент, ево сложене, доследне, бритке, уверљиве књиге која се, на нашу жалост, бави потиснутим лингвистичким недоумицама.

Аутор Владимир К. Миличић је студирао на Београдском универзитету, у Паризу и у Чикагу, предавао више од три деценије на Западном Вашингтонском универзитету, прво руски језик и руску књижевност а затим – лингвистику. Занимљиво је истаћи да је господин Миличић последњих двадесет година био директор лингвистичког програма генеративне граматике. Добитник је неколико угледних признања. Дакле: импозантна биографија.

У овој аналитичкој књизи, аутор се бави српском двосложном метриком. И на самом почетку поставља суштинска питања: Ко су били носиоци те метрике? Из чега се састоји? Шта су њене јединице, структуре и правила? Коме треба више веровати – песницима или метричарима?

Аутор подсећа да је Вук Караџић, слушајући певане епске песме, запажао разлику између изговора и њиховог певања. Он тада није могао да реши тај проблем јер ни лингвистика ни студије метрике још нису биле развијене. Од седамдесетих година деветнаестог века, неки специјалисти су сматрали да је улазни акценат двосложан. Оваква опажања негира господин Миличић у овој књизи, јер сматра да у певању после контурног узлазног следи равни високи тон.

Тридесетих година прошлог века, руски принц Николај Трубецкој и Роман Јакобсон, у то време припадници Прашког лингвистичког круга, додали су нове фонолошке концепте за прецизније решење и разумевање функција и природе прозодијских елемената. Аутор са жаљењем констатује да су извесне Јакобсонове тврдње одвеле истраживање српске двосложне метрике у сасвим погрешан правац.

Вук је јасно рекао – и доказао - да су епски десетерачки стихови трохеји. Многи српски академски метричари и лингвисти нису веровали Вуку, нити верују песницима, па су прибегли измишљању свакојаких објашњења.

Аутор ове полемичне али научне књиге тврди да нас српски метричари више од једног века уверавају да сами песници одступају од метричке норме, понеки чак тврде да српска двосложна метрика нема правог трохеја ни јамба или да епски десетерац није трохеј.

Упркос таквим тврдњама, постоје веома богати докази да у двосложним песмама песници праве врло мало метричких грешака. Полазећи од ове своје тезе, аутор у књизи подробно анализира бројне песме наших највећих песника и доказује своје тврдње о једном релевантном, пуном моделу српске двосложне метрике. И да данашњи тумачи српске двосложне метрике нису успели да открију прави модел и да зато одступају од Вуковог пута.

По свему, необична књига. Иако данас поезија није у моди, као ни певање и мишљење, оваква књига никога не може оставити равнодушним. Сигуран сам да ће изазвати полемику међу српским лингвистима и метричарима, вероватно ће та расправа подсетити читаоце да је српска поезија била и остаће жива, богата и неуништива.

Гласовити професор Владимир К. Миличић многима, вероватно, личи на Дон Кихота који се, ето, бори са ветрењачама. Да нема таквих изузетака, ко зна како би свет уопште изгледао. На Вуковим стопама, аутор успешно доказује сву комплексност српске двосложне метрике. А све је почело од епских песама. Да их није записао велики Вук, оне би данас биле у коферу нашег заборава.

Миломир Краговић

УВОД

Оригинални ствараоци су оформили један, пун модел двосложне метрике, чији систем се и данас састоји из два блиско интегрисана и међузависна подсистема, говорног, и музичког за певање и плес. Говорни део активно користи четири тона, а музички седам. „Два у једном“ је врло софистицирани систем, због чега су и настале све метрички важне разлике у интерпретацији модела који су стварали професионални метричари, и модела уграђеног у све постојеће песме двосложне метрике у току последњих шест векова. Ти специјалисти нису могли да схвате у току последња два века да индивидуална и колективна језичка, метричка и музичка интуитивна компетеницација неписмених сељака--који су створили оригинални модел-- може да буде, и јесте, супериорнија од њиховог и свесног и несвесног знања и њихових метричких теорија.

Песници двосложне метрике су уградили пуни модел у све своје песме. Српски и страни метричари и лингвисти почели су да својим анализама српских песама успоставе тај систем за време Вука Ст. Караџића и после њега, а нарочито од тридесетих година 20. века када су и метрика и фонологија били довољно развијени да омогуће успешне резултате. И поред тога, то се није догодило. Они нису успели да открију да се пуни модел—на свој начин—састоји од два елегантно и функционално интегрисана дела, те су успоставили само његов говорни метрички део, а део повезан са певањем—због кога је и створен читав систем—остао им је непознат. Та чињеница је имала негативне последице за њихову интерпретацију метра и ритмова и усмених и писаних песама: метричка правила повезана са певањем и музиком често се нису слагала са говорним правилима њиховог модела, што их је терало да тврде да песници праве метричке грешке, да одступају од метричке норме, итд., незнајући да су то њихове грешке. Таква ситуација је остала читав 20. век све до нашег времена.

Зато је било потребно установити *цео модел новоштокавске двосложне метрике, тј. модел песника* (МП), почевши од најранијих народних песама и писаних песама индивидуалних песника све до данас, и упоредити га са постојећим „стандардним“ *моделом метричара* (ММ), који су створили метричари и лингвисти--већином професори Београдског универзитета уз помоћ неких страних специјалиста--у току последњих осамдесетак година. Давно сам закључио да постоје велике, *али предвидљиве*, разлике између МП и ММ, укључујући и најважније, које се тичу врсте и броја прозодијских обележја и јединица речи и, последично, њихових метричких правила, као и разлике у интерпретацији структуре јединица двосложног стиха и његових правила.

Кад је реч о систему двосложног метра српског језика, почетна корисна питања су, *ко су били ствараоци и носиоци те метрике, из чега се она састоји*, тј. *шта су њене јединице, структуре и правила, у каквим хијерархијским односима се они налазе и чија решења треба прихватити*, тј. *коме треба више веровати, песницима или метричарима и лингвистима*, нарочито због важних неслагања међу њима? Резултати до којих сам дошао недвосмислено указују да су то песници чију метрику треба прихватити. Такође, песницима треба веровати и зато што они изненађујуће ретко праве метричке грешке насупрот тврдњама представника ММ. Ствараоци ММ нису се питали, „Ако сви песници праве исте 'грешке', тј. ако се оне систематски понављају у свим песмама, да ли су то заиста грешке или је могуће да иза њих стоје неке додатне јединице, неки процеси и нека правила која треба установити?" Затим, поред питања-хипотезе, *ко* је почео промену постојећег дијалекта у новоштокавски и створио пуни модел двосложне метрике, потребно је направити и три остале главне хипотезе: *Зашто* је дошло до те промене, *кад* се то десило и *где*? Овај рад покушава да одговори на та и друга питања.

Има две врсте метричке компетенције као што има две врсте музичке компетенције: продуктивна и непродуктивна. Прва се односи на неписмене и писмене песнике и професионалне композиторе и музичаре; друга на све остале. Метричка способност коју већина нас може интуитивно да усвоји са малом праксом пре почетка пубертета не може да се изједначи са продуктивном способношћу песника за стварање и писање песама двосложног стиха: зато је компетенција стваралаца, тј. њихов модел, то што метричари треба да покушају да реконструишу, јер су га активни песници стварали, откривали и брусили неких шест стотина година. Зато би један од заједничких ставова и договора новоштокавских метричара требало да буде, *Верујте песницима!* јер они осећају и користе богати прозодијски избор речи донекле другачије него што ми други обично то чинимо. Кад песници компонују своје песме, било да их држе у меморији—као што чине народни песници—или као писмени песници, који их најчешће одмах стављају на папир—у њиховом уму/мозгу су, имеђу осталог, активирани међуодноси метричке схеме и прозодијских елемената речи које они преживљавају и певају на формалнији али и прецизнији начин него што се то чини у обичном говору. Тако се створио известан јаз између песника и нас осталих, укључујући и метричаре и лингвисте. За време стваралачког акта, песници вреднују на свој језичко-поетско-музички начин све слогове, нагласке речи, тонове и дужине, односно мôре, положај цезуре, испуњавају метричку схему и текстуалне ритмове док свесно или несвесно уграђују извесне ритмичке ирегуларности и антиципирају синкопације као део „превареног очекивања". Из реченог природно произлази да метричар треба да покуша да се стави у положај песника да би боље схватио дати систем и да би са већим разумевањем вршио метричке анализе које не вређају песникову компетенцију.

Свака српска двосложна или дужа реч, или проклитичка група са пренетим нагласком и тоном, садрже по два суседна слога који су тононосци: прво узлазни или силазни контурни тонови, који су увек наглашени, и одмах за њима високи или ниски равни тонови, који нису никад наглашени, али кад су дуги--кад се састоје од две мôре--могу да носе метрички иктус кад се нађу на јаком слогу стиха. Кад се то деси, онда се слог са узлазним или силазним тоном нађе на слабом слогу стиха и заједно са високим или ниским тоном под иктусом остварују *„ирегуларну" контурно-равну синкопацију*, *узлазно-високу* или *силазно-ниску*.

Метар песме, трохеја или јамба, захтева да се наглашени слог речи стави на јако време стиха да испуни дати метрички импулс, што читаоци или слушаоци знају и очекују. Међутим, кад се формира синкопација, удар наглашеног слога узлазног или силазног тона неочекивано се појави на слабом времену и оствари у слушаоцу или читаоцу преварено очекивање јер се високи или ниски тон нађу на јаком времену стиха. Ово неочекивано „нарушавање" норме доноси снажан емоционални доживљај који, између осталог, прекида монотонију предвидљивог очекивања метричког пулса.

Важно је не заборавити да српска реч „песма" већ вековима има два значења, песма за певање (song)--и рецитовање--и песма за читање (poem). *Песма која се певала—често заједно са музиком и играњем кола--*

била је и узрок и основа на којој је изграђен један део новоштокавског дијалекта – пре свега прозодијске јединице -- и цео двосложни метрички модел песника. Прозодијско богатство речи оставило је неке важне разлике у свакидашњем изговору речи и стихова са тоновима у односу на њихово певање, нарочито кад се користе синкопације.

Принцип којим сам се руководио од самог почетка рада на српској метрици је врло директан и прост: Ако видим да нека решења, било чега, водећих домаћих и страних метричара и лингвиста противурече компетенцији песника уграђеној у њихове песме, ја стајем на страну песника.

Од самог почетка новоштокавског, од првих народних лирских песама, на пример, трохејског осмерца и шестерца „Дјевојка и славуји“ Џорета Држића (+1501)(2)--која је испевана под утицајем народних песама (због чега је овде и спомињем)--па све до последњих збирки песама почетка 21. века, песници су скоро све песме написали *једним и истим моделом двосложне метрике. Тај модел има право да се назове МП* или *класични модел, јер представља резултат њихове дуге колективне језичко-метричко-музичке компетенције*.

Вук је слушајући певане епске стихове запажао разлику између изговора, тј. читања, и њиховог певања. Он тада није могао да реши тај проблем јер ни лингвистика, тј. фонологија, ни метрика још нису биле довољно развијене. Од седамдесетих година 19. века неки специјалисти су почели да сматрају да је узлазни „акценат“ двосложан и да се слогови речи састоје од *мôра,* прозодијских јединица које руководе дужином слогова, кратки слогови од једне море а дуги од две. Међутим, тврдња да су узлазни „акценти“ „двосложни“, иако широко прихваћена, *није тачна за пуни МП јер у певању није у питању исти тон већ два различита тона, контурни у првом, наглашеном слогу, и равни, никад наглашен, који му директно следи али који такође може да буде иктусован, те зато и појачан у певању*. Затим, 30-их година 20. века, руски принц Николај Трубецкој и Роман Јакобсон—у то време припадници Прашког лингвистичког круга--додали су нове фонолошке концепте за прецизније решење и разумевање функција и природе прозодијских елемената, који су били последњи потребни кључеви да омогуће лингвистима, па зато и метричарима, да открију постојање и метричку улогу свих прозодијских јединица речи. Нажалост, нека мишљења Јакобсона упутила су истраживање српске двосложне метрике у погрешан правац. У свом предговору књиге *Дијалози Јакобсона и Кристине Поморске* (*Dialogues -- Roman Jakobson and Krystina Pomorska*), Морис Хале (Morris Halle)—који је био сарадник и Јакобсона и Ноама Чомског--говорећи о Јакобсоновом изучавању метрике, пише: „Вероватно од највеће важности (...) су била његова изучавања метра. Нарочито његово откриће (1933) да метар српских епских песама није заснован на регуларној дистрибуцији нагласка, дужине, или силабичкој структури, већ на присуству или одсуству граница речи у специфичним положајима стиха. То је била нова сугестија у то време и изазвала је значајно супротстављање (и исмејавање) од стране конзервативних истраживача. Истраживање које је следило, међутим, у потпуности је оправдало Јакобсонову хипотезу и показало да је постављање граница речи основа не само за друге српске песничке форме већ такође и за песме компоноване у другим језицима, а нарочито, у неким другим словенским и балтичким језицима." (Мој превод са енглеског.)(3) Треба приметити да Хале не спомиње ни тонове међу прозодијским елементима српских речи ни синкопације у стиховима.

Тачно је да границе речи имају своју метричку улогу, али оне нису главни узрок метричке организације новоштокавских стихова која је увек претежно заснована на *прозодијским елементима речи*, које *примарно руководе метриком двосложних стихова*.(4) *Прозодија речи садржи четири контурна тона у првом од два слога тононосца--кратки или дуги узлазни, или кратки или дуги силазни--и на другом слогу три равна тона који не носе нагласак, једноморни или двоморни високи, и дуги ниски. Силазни тон је увек везан за први слог речи, док су сви тонови везани за дату реч или проклитичку групу. Контурни тон и његов наглашени слог су независни од самогласника који их представљају. Само двомо̑рни високи или ниски тон активира двотонску контурно-равну синкопацију, узлазно-високу* или *силазно-ниску, када се метрички иктус подудара са њиховим слогом.* Кад год се то деси у трохеју или јамбу, онда је метричка функционалност *граница речи* обезвређена, јер је метар последица распореда прозодије речи, тј. слогова који остварују задату метричку схему стихова. Према томе, *метрички икус може да падне или на први, наглашени слог са узлазним или силазним тоном, или на следећи слог дате речи са високим или ниским тоном. Саме границе речи зато не могу да прецизно утврде да ли је стих трохеј или јамб, јер то дефинитивно зависи од природе прозодијских елемената и њиховог места у стиху*. Будући да су прозодија речи и границе речи донекле међузависне, границе речи можда могу да буду корисне више за време компоновања песама, можда за њихов силабизам и боље осећање цезуре, него за њихову метричку структуру. Слушалац песама прво аутоматски покушава да установи њихов метар на основу прозодије речи стихова и положаја јаких слогова—а не положаја граница речи—да би, ако треба, захваљујући метру, могао да очекује испуњење превареног очекивања најчешће у форми синкопације. Другим речима, Јакобсоново „откриће" нема такву метричку објашњавачку снагу као што и дан данас тврде Хале и његови саговорници. Јакобсон и његови српски следбеници, почевши од Кирила Тарановског 30-их година 20. века и осталих све до данас, нису успели да установе све тонове и њихове функције у речима и да схвате њихову изузетну важност за српску двосложну метрику. Пишући о природи краткоузлазног „акцента", тј. тона у јампским стиховима, није изненађење да Тарановски одступа од њиховог концепта „граница речи": „Што се пак тиче краткоузлазног акцента, он је као што је познато двосложан, а његова експираторна снага је најслабија, зато се он понајчешће јавља у слабом времену стиха. Нарочито у оним случајевима кад после кратког акцента, који пада на 2. односно 6. слог у идућем јаком времену (на 3. односно на 7. слогу) стоји ненаглашена дужина, онда се акценат такорећи пригушује, а дужина остварује јако време."(5) Од свих тврдњи цитираног текста само последња кратка реченица је тачна. Тарановски погрешно објашњава метричку функцију кратакоузлазног тона његовом „познатом двосложношћу" и његовом „слабом експираторном снагом"—што иначе нема никакве везе са метричком употребом у овом случају—али правилно образлаже понашање слогова слабог и јаког времена у јампском стиху специфичним бројевима слогова без да спомиње „границе речи", принцип који он иначе заступа. У додатку тврди да се слог под „акцентом" „такорећи пригушује." Пошто је реч о двосложној узлазно-високој синкопацији, објашњења Тарановског нису адекватна јер он и није био свестан њиховог постојања. Такође, кад би се слог узлазног тона у овом случају „пригушио", изгубио би се естетски доживљај превареног очекивања.

Вук је јасно рекао да су епски десетерачки стихови *трохеји—јер певање то доказује!—што је на тај (ин)директан начин и доказао.* Српски академски метричари и лингвисти нису веровали ни Вуку, као што нису веровали, нити још верују песницима. Зато су они морали да измишљају свакојака објашњења, да у својим метричким анализама налазе „грешке" које нису грешке, и да покушају да их правдају на врло инвентиван, често импресионистички начин, само да не би јавно рекли да *према њиховом моделу, тј. ММ, скоро нема ни једне метрички правилне песме,*(6) што би значило или да њихов модел није добар или потпун—што у ствари и јесте случај--или да песници колективно стварају метрички изузетно лоше песме у односу на песнике свих других народа. Српски метричари више од једног века неоправдано нас уверавају не само да песници често одступају од метричке норме већ неки и тврде, на пример, да је српска двосложна метрика само силабичка, или да је у питању само „трохејска тенденција“ или „јампска тенденција“, тј. да нема ни правог трохеја ни јамба, или да епски десетерац није трохеј, а други да има само „трохејску тенденцију“, док она мањина њихових метричара који мисле да јесте трохеј, немају начина да то докажу пре но што открију синкопације и са њима пуни модел. И тако делатници ММ и даље настављају да критикују метрику песама свих песника насупрот богатим доказима да у двосложним песмама сви песници праве врло мало метричких грешака, тачно то што обара већину њихових нетачних анализа. Они називају свој модел „стандардни“ или чак „класични“, иако *он не представља метрику двосложних песама ни једне од данашњих новоштокавских варијанти* (изузев песама Милосава Тешића, *јединог песника чије песме се стопроцентно уклапају у њихов модел и једини који оправдава постојање ММ*). Бројне и разноврсне статистичке анализе песама које су направили метричари ММ, од Тарановског до Леона Којена, односе се само на ММ, што значи да ће морати да се праве нове статистике. А што се тиче многих неоправданих метричких критика песама које су написали водећи метричари Београдског универзитета, ограничићу се само на један део оних који могу доста јасно да илуструју бар неке од најважнијих разлика и у исто време упознају читаоца са пуним моделом, МП.

Свака српска новоштокавска двосложна или дужа реч носи у себи два суседна тононосна слога, први са једним од четири контурна тона, који су увек наглашени, и други са једним од три равна тона, који нормално нису наглшени, али могу да носе метрички јаки иктус и постају нглашени. Синкопације, као метричке ирегуларне структуре, и даље су непознате метричарима, и домаћим и страним, иако их сви песници користе од самог историјског почетка бар једном по песми, али обично више пута да обогате стихове музичким ритмовима и задовоље преварено очекивање. Лирске, тј. женске народне песме имају сличан проценат синкопација као и песме индивидуалних песника. На пример, споменута песма „Дјевојка и славуји" Џорета Држића метрички их остварује 18 пута у својх 36 стихова—16 у последњим речима стихова, а две у првом полустиху; племенита „Хасанагиница", трохејска народна балада испевана у метрички перфектним несиметричним десетерцима, 4+6, у своја 92 стиха има око 60 узлазно-високих синкопација и око пет силазно-ниских; народна епско-лирска песма „Косовка девојка", исто 4+6 слогова по стиху, у својих 137 стихова има око 80 узлазно-високих синкопација и око 5 силазно-ниских; трохејска песма, 6+6, „Откако је века" Јована Авакумовића из 18. века, садржи једанаест строфа са 66 стиха, и у онима који се не понављају има око 40-ак синкопација, углавном узлазно-високих; песме П. П. Његоша врло су богате синкопацијама углавном захваљујући употреби дужих речи; песме Милана Ракића просечно их имају преко пет пута по песми, у разним положајима; и—што је врло значајно—позната јамбска песма „Јесења кишна песма“ Стевана Луковића у својих 35 стихова, изненађујуће, има *десет узлазно-високих* и *десет силазно-ниских синкопација*, које се све, изузев једне, јављају у почетној речи песме.

Тонови, певање, и с њима повезана народна музика и народне игре, највероватније су били главни разлози за промену метрички двотонског, или прецизније, једнотонског дијалекта у прозодијски полифонијски новоштокавски дијалекат.

Значајно је обратити пажњу на историју откривања последња два тона, високог и ниског, који никада нису уродили плодом. Било је доста покушаја у 19. и 20. веку да се установи шта је то што имају песме двосложне метрике када се певају а немају када се изговарају, а очекује се да имају? Вук је представио тај проблем у „Предговору“ другог тома четворотомног Лајпцишког издања народних песама 1824 године, где је навео и следећа два епска десетерачка стиха—*И понѐсе трй то̀вара бла̂га* и *Ја кад та̀ко̄ сва̏дбу уре́дише.* Прозодијске знаке на речима поставио сам према савременом стандардном српском лингвистичко-књижевном систему, а на Х-ове стављам /ˈ/ за све наглашене слогове и слогове под иктусованим високим или ниским тоном, које сам обележио масним словима када је у питању остварена синкопација. Обратити пажњу: *масни X-ови кратког високог тона „показују“ дужину, тј. двоморност, само у моменту рецитације или певања према свом специфичном правилу*:

И понѐ̩се̄ три̩̂ то̀ва̍ра бла̂га

X X **X̍** X̄ **X̄̍** **X̍** **X̄̍** X **X̍** X

1 2 3 4 5 6 7 8 9 10

Ја кад та̩́ко̄ сва̏дбу уре̩́ди̍ше

X X X̍ X̄ X̍ X X **X̄̍** **X̍** X,

1 2 3 4 5 6 7 8 9 10

Вуков коментар је био да се не осећа да су они трохеји „кад се чита и казује, али кад се пјева, онда су све трохеји.“(7) Речи „то̀ва̍ра“ и „уре́ди̍ше“ према правилу носе метрички иктус на својим претпоследњим слоговима са високим тоном, тј. на седмом и деветом слогу стихова, што чини трохејске стихове метрички правилним и што активира две узлазно-високе синкопације. Решење Вуковог проблема, односно *пуног модела и система* српске метрике, лежи у „откровењу“ високог и ниског тона и узлазно-високе и силазно-ниске синкопације захваљујући тим тоновима. Та чињеница решава већину погрешних тврдњи метричара ММ о сталном „одступању од метричке схеме“ свих песника. Тешко је правдати српске метричаре и лингвисте што нису извукли потребне закључке из већ споменуте теоретски, логички и практички важне чињенице да се скоро све што они зову „метричким грешкама“

јавља код *свих* песника, те зато не морају да буду грешке *већ*, напротив, *стваралаштво песника према метричким правилима на основу датих прозодијских јединица*--што се и показало тачним. На слоговима те две кључне речи, „тòвара“ и „уре́ди̍ше“ после краткоузлазног и дугоузлазног тона следе по два једноморна слога, први од којих носи високи тон. *Одговарајуће метричко правило захтева да високи и ниски тон морају да буду двоморни да би могли да прихвате и остваре иктус*. Пошто је у обе речи слог високог тона једноморан, додатно правило каже да *кратки високи тон може да узме следећу мору, било своје речи или следеће речи са силазним тоном*. *Вук је--знајући несвесно, али захваљујући изабраним примерима изгледа знао и свесно--циљао на тај високи тон као доказ да су несиметрични десетерци трохеји кад се певају*. Другачије речено, двоморност високог тона--као и ниског--чини слог метрички способним да носи иктус, што у датим примерима прави стихове трохејским. То нам кажу многе хиљаде двосложних стихова испеваних и написаних у току последњих шест векова; то је оно што се у речима „тòвара“ и „уре́дише“ у певању осећа и чује да су слогови „ва“ и „ди“ под иктусом такође „наглашени“ и дуги, тј. да слушаоци могу да их „чују“ или осете као „нагласак“, а у ствари чују после узлазног наглашеног тона такође *појачани и продужени високи тон* који активира узлазно-високу синкопацију. Ако се, међутим, реч *товара* у генитиву множине изговара са дугим самогласницима, тòва̍̄ра̄, **Ẋ** **X̄̇** X̄, онда се на њега не односи споменуто правило јер је тон већ дуг.

Треба имати на уму да је за Вука, *као и за неписмене, вероватно младе сељанке из неког дела окупиране Србије почетком 15. века--које су створиле новоштокавски дијалекат и модел новоштоавске двосложне метрике са синкопацијама—певана песма била норма за мерење метрике, и последично—што данас знамо--основа из које се развила писана песма и уметничка рецитација.* Синкопације су постале и један од најинтересантнијих делова технике компоновања песама (и играња народних кола).

Не знати да постоје високи и ниски тон значи и не знати вредност превареног очекивања, најважнијег ефекта „музичког ритма" представљеног ирегуларним синкопацијама. Захваљујући контурно-равним тоновима синкопација, српска двосложна метрика, као и српски народни музички систем, садржавали су у себи, с једне стране, све што је било потребно да у будућности постану део Балканског (народног) музичког система, и с друге стране, да се на истом двосложном моделу створи један светски признат квалитетан и импозантан корпус усмених песама. Исти случај би био и са великим бројем писаних песама кад би странци могли да упознају њихов квалитет и новоштокавску двосложну метрику у оригиналу. Такође, без пуног метричког модела, тј. МП, и оригиналних, пре свега лирских народних песама, српско писано песништво не би постигло тај уметнички језичко-метрички и естетско-музички квалитет уграђен у њега у току последња два века.

Као и у другим областима науке, и у моделу двосложне метрике, очекује се да се њен систем *адекватно опише* и *адекватно објасни*. Сваки проблем унутар система мора да се реши или бар да се направе привремене хипотезе о његовом решавању. Пошто је српска двосложна метрика *хибрид делова језика, метрике, поетских поступака и музике*, метричари и лингвисти требало је да анализом народних песама и песама најбољих индивидуалних песника успоставе модел те силабичко-тонске метрике и установе све одговарајуће јединице, структуре, функције и правила уз потребна објашњења. Идеално говорећи, све јединице, структуре, функције и правила треба да се довољно разумеју и да њихове међузависности буду транспарентне. Како време више одмиче, страни специјалисти у одговарајућим дисциплинама налазе све више разних веза језика, двосложне метрике и музике, што је за српску двосложну метрику нарочито важно. Такве међузависности се односе на историјско порекло, на биолошке еволуционе везе, као и на културне и структурне.

Пошто је откривање језичко-метричке компетенције народних песника кроз реконструкцију модела уграђеног у њихове песме типична делатност метричара уз помоћ лингвиста, морао сам да претпоставим да је МП најбољи и најрепрезентативнији, те зато и вредан да се установи. Очекивао сам да резултати метода и теорије које користим буду адекватни задатку откривања тог хибридног метричког модела и да у потпуности установе, пре свега, све прозодијске јединице речи и главна правила којима се песници служе; да открију све што је већ дато у метричкој структури и тексту песме, одговарајући на индуктивна питања „Шта?“ и „Како?“, али и да покушају да помогну да се открију и још непознате ствари постављајући хипотезе абдуктивним резоновањем, као—у нашем контексту—питањима „Ко?“, „Зашто?“, „Када?“ и „Где?“, која захтевају спољне, већином историјске и друге релевантне али мало познате информације; затим, да нема у њима никаквих контрадикција; да не дозволе арбитрарне елементе, структуре и правила; да имају задовољавајућу описивачку снагу у смислу да укључе све што је метрички важно у песмама; да су на основу свега тога у стању да објасне све што се да објаснити, и да праве сва могућа предвиђања.

Сва новопредложена решења су сугерисана већином анализираних песама, и могу да се схвате и као доказне хипотезе све док их неко не обори. За неке од њих навођено је више од једног разлога. Понуђене хипотезе и тврдње системски произлазе из структуре стихова и метрике песама.

Дата анализа песама двосложне метрике, углавном српских песника, предлаже серију тврдњи и бар пет хипотеза које се односе на општу теорију двосложне метрике, док се остатак тиче само новоштокавске метрике. Резултати понуђене анализе успостављују нови, пун МП, и такође садрже упоредне главне *али не све* разлике и неслагања између два модела, МП и ММ. Због разних новина које садржи МП неке ствари понављам у току текста, нарочито неке дефиниције јединица и њихова метричка правила, да би се олакшало њиховом бољем и лакшем разумевању и памћењу.

Сваки оправдани и непобитни доказ против било које од мојих хипотеза и тврдњи прихватам са великим задовољством као нормални део напретка развоја студија о МП и новоштокавске двосложне метрике у целини.

ТВРДЊЕ И ХИПОТЕЗЕ:

1. *Монотонија* последње верзије староштокавског дијалекта била је један од главних разлога за његову промену у новоштокавски, а *певање и народне* игре били су начин да се оствари намера споменутих *младих неписмених сељанки које су почеле тај процес.* Оне су компоновале и певале песме и волеле да играју народна кола.(8)

Српски народ под Османлијама имао је слободу да упражњава све области своје традиционалне културе, у шта се убрајало и стварање и певање народних песама и играња народних кола. Сасвим је могуће да је мисао изражена у следећем трохејском дванаестерцу, *„Мла̏до̄ст во̏лӣ пе̏сму, ве**се́ље̑**‿и жѝвот“*, имала животно, егзистенционално значење за младеж уопште, а нарочито у датом историјском моменту. Та мисао је била један од одговора на питање *„Зашто?“* су сељанке створиле новоштокавски дијалекат и двосложну метрику са свим њиховим богатим прозодијским елементима речи. Питање, *„Када?“* и „Где?“су то оне учиниле директно је повезано са доласком Рома *у окупирани* *део Србије почетком 15. века*. Кад су српске сељанке први пут среле Роме, оне нису ништа знале о њима, и сигурно су биле изненађене њиховом појавом и њиховим начином живота. Али, оне су виделе један весео, срећан и слободан народ који је путовао од села до села и увек певао, свирао и играо своја народна кола, за своју и за туђу радост и забаву. Неким младим сељанкама које су и саме компоновале песме, играле уз њих и уз музику, допала се већа живост, богатство и ирегуларност елемената ритма и мелодије у певању, музици и игрању Рома, нешто што оне никада раније нису искусиле. Пошто је предходни дијалекат у ствари имао само дугосилазни тон речи који се осећао у говору и певању, а краткосилазни није, њихове песме и игре су биле врло монотоне. Жеља за ритмички и мелодијски богатијим и ирегуларнијим певањем, музиком и играњем народних кола, учинила је да те сељанке успешно уграде у свој систем новоштокавског дијалекта извесне музичке идеје Рома, које су им требале да створе богатију прозодију српских речи и богатију двосложну метрику са синкопацијама. Ми и дан данас уживамо у том наследству.

Дакле, заступам горње хипотезе из више разлога те зато и кажем да су младе сељанке створиле новоштокавски дијалекат—могуће у исто време кад се јат мењао у своје варијанте--с намером да остваре више музичку двосложну метрику, *са извесним метричким ирегуларностима* да им пружају веће уживање у певању и више емоционалног задовољства и разноврснију и захтевнију технику у игрању народних кола.

2. *Структура и функције слога* послужили су као прототип стварању стуктуре и одговарајућих функција *двосложног стиха* и неколико других јединица. (ММ то не предпоставља.)

3. *Почетна стопа* стиха је према употреби новоштокавских песника око 50% метрички независна и зато има другачија правила од осталих стопа.

4. *Све стопе после иницијалне стопе чине метричку константу* (*инваријанту*) *стиха*.

5. *Стопе последњег јаког времена првог и другог полустиха су темељне стопе двсложне метрике* и зато се очекује *да буду иктусоване,* док остале не морају увек. Те две стопе су у системској хијерархијској опозицији са иницијалном стопом стиха: док слогови *прве стопе* не морају увек да следе метар свог стиха, друге две то чине аутоматски, према правилу. Већину стопа *константе стиха* песници релативно лако могу да испуне метричким импулсима, али *не морају све* ни по којем правилу. (Неки представници ММ тврде скоро супротно, тј. да се очекује да скоро сви јаки слогови константе буду испуњени, да је последње јако време стиха слабије од неких у средини стиха, а нико од њих не признаје описану природу иницијалне стопе.)

6. *Слог и реч*, неке *клитичке групе*, *именичка* и *глаголска синтагма, стих* и *синкопација*--припадају групацији која показује *„породичну сличност"* према принципима сличности и аналогије у односу на њихову структуру и функције. (ММ не говори о томе.)

7. За разлику од свакидашњег језика, МП српске

двосложне метрике има *помоћни метрички нагласак у дужим речима да помогне кратким јаким слоговима стиха.*

8. Свако *симетрично понављање* или *симетрични паралелизам* речи и виших структура у истом стиху или у суседним стиховима, задржава дати стих прихватљивим чак и када одступа од метричке норме. Разлог томе је што је симетрично понављање једно од најопштијих правила уметности, укључујући и метрику, те зато и јесте у стању да надвлада, тј. неутралише и деактивира друга метричка правила. Кад метричар једном установи да је реч о симетричном понављању, онда нема потребе ни за каквим даљим коментаром. (Ни тај принцип није део когнитивних алатки ММ.)

9. Појава у стиху речи један слог дуже или краће од очекиване или речи са „погрешним" прозодијским елементом, не мора да се сматра грешком ако ни једна друга значењска реч правилне дужине или правилне прозодије не може да је замени. Пошто песник користи такву реч или синтагму намерно, на читаоцу или слушаоцу је да закључе о чему се ради. Ако нема оправдања, онда може да се сматра грешком.

10. Метричари ММ ретко наглашавају теоретску и практичну разлику између *„ритма" метра* као *метричког кода*, тј. метричке схеме, и *текстуалног,* тј. *оствареног ритма стихова читаве песме са синкопацијама* као свеобухватне *поруке стихова* двосложног метра на свим нивоима, тј. звучним, ритмичким, значењским, поетским, естетским, музичким, итд.

11. За МП такозвана *„трохејска инверзија“* је непостојећи концепт захваљујући специјалној природи иницијалне стопе стиха; последично, „трохејска инверзија“ је метрички спандрел, без потребе за даљом дискусијом. Кад се у јамбу, ван синкопације, наглашени слог нађе на трећем слогу стиха, МП то нормално сматра метричком грешком, исто као што би у трохеју ван синкопације била грешка да се наглашени слог нађе на четвртом слогу. (ММ сматра „трохејску инверзију“ као нешто опште прихваћено и поред тога што је званично и даље један од нерешених проблема теорије метрике.)

12. *Српски епски десетерац* је чист трохеј за све песнике—као и читаоце и слушаоце--који су усвојили новоштокавске прозодијске елементе речи као деца до пубертета; за остале може да буде проблем због богатства прозодије новоштокавских речи, које није лако усвојити после пубертета, иако се и то дешава. (Само мањина представника ММ такође сматра да је он чист трохеј.)

13. *Јамб са цезуром*—свих одговарајућих дужина стихова и полустихова--дели се на две форме: стандардну и полустиховну. Полустиховна форма је најстарија и најпримитивнија форма јамба у коме се други полустих дели на интегрисани и неинтегрисани. Иницијална стопа другог полустиха је понекад метрички иста као и иницијална стопа првог полустиха, која може да носи или не носи иктус на било којем од прва два слога и зато је неинтегрисана. Полустиховни јамби броје своје стихове од један па надаље до цезуре и

од један после цезуре до краја стиха. Интегрисани полустих има две варијанте, са дактилским стубом или без. (Милосав Тешић је „открио“ тај вековима стари тип јамба као нешто ново, као „јамби на расклапање“, тек пре неколико година(9). Неке народне лирске и писане песме компоноване су у полустиховном јамбу и у другој половини 19. века и у 20. веку.)

14. Кад се на месту цезуре на крају првог полустиха појави додатни последњи слог речи или једносложна реч у функцији „моста“ да из неког, обично семантичког, разлога споји два полустиха, он не треба да се сматра ни метричком грешком нити да носи бројчану вредност слога стиха: он има функцију поетског поступка своје локалне врсте. На пример, у песми Santa Maria della Salute Лазе Костића, у једном од четири стиха са мостом он спаја хероја и хероину љубавне драме песме.

15. Концепт *„продуктивна“/„непродуктивна“ метричка компетенција*—позајмљен из музичке теорије—игра исту улогу у теорији метрике као и у теорији музике, тј. прави важну разлику између компетенције професионалаца, тј. песника и музичара с једне стране и нас осталих с друге. (Тај концепт није део метричке теорије ММ.)

16. Концепт *„померање акцента“* којим се служе метричари ММ не описује релевантни процес који се одиграва док песник поставља иктус на слог са високим или ниским тоном да активира дату синкопацију. Песници не мисле о „померању акцента“ када компонују трохејске или јампске стихове, већ се

концентришу да иктусују одговарајуће јаке слогове стиха. Њихов мисаони процес не обухвата идеју „померања акцента“ јер то није примарно, пошто је то „померање“ аутоматска последица положаја иктусованог високог или ниског тона на које се песници концентришу.

17. Нема „ритмичког пригушивања“ краткоузлазног или краткосилазног тона кад им следе високи односно ниски тон под иктусом остварене синкопације.

18. *Последње јако време стиха* нормално није представљено *„празном стопом“* иако следбеници ММ често говоре о њој. Пошто је у питању једна од две најјаче стопе стиха, она обично садржи помоћни метрички нагласак или реч са фонолошки дугим тоном или реч чији се иктусовани слог—према традицији--фонетски продужује у рецитацији или певању, што чини тај слог довољно „тешким“ да оствари иктус. Изузеци постоје. (Концепт „празна стопа“ је део метричке теорије ММ.)

19. *Метрички стих* очекује да се за време рецитовања, декламовања, говорништва и на сцени—као што се дешава у певању--*стихови изговоре прецизно и са датом природом прозодијских елемената речи према метричким правилима.* То се нарочито односи на метрички јаке слогове и оба слога синкопација, које, у односу на суседне слогове, треба изговарати гласније са одговарајућим нагласком, дужином и тоновима. (ММ не говори о томе.)

20. Добри песници двосложне метике—и усмени и писмени—*врло ретко праве метричке грешке*. (Следбеници ММ имплицитно, индиректно и директно тврде супротно.)

21. Асиметрични епски десетерац је чист трохеј.(10)

22. *Тросложна метрика* има друго порекло. Овај рад се не бави њом, изузев кад је неопходно, као на пример кад песници убаце у своје трохејске или јампске песме обично по једну тросложну колону у другом полустиху. (ММ не предпоставља горњу тврдњу.)

23. Ниједна варијанта ММ српске двосложне метрике и ниједна књига или докторска дисертација или чланак написани о њој од почетка 30-их година 20. века све до данас, *не представља пуни модел двосложне метрике усмених и писмених песника.*

24. *МП је био и остао од почетка до данас један и исти пуни, свеобухватни, оптимални модел, чије могућности се стално откривају*.

У наставку следе објашњења, аргументи, додатни коментари и хипотезе, као и примери за разне тврдње.

КОНЦЕПТ ОБЕЛЕЖЕНОСТИ (МАРКИРАНОСТИ)

Живимо у свету са много разних система и подсистема. Сваки од њих се састоји од јединица, структура и правила, неки од којих се као парови налазе у бинарним односима опозиције. У таквим системима хијерархија је изражена концептом обележености (маркираности). Сви социјално-културни и језички системи садрже парове својих јединица који активно учествују у разним доменима на разним нивоима, и зато се очекује да је њихова обележеност активирана. Концепт обележености је врло користан за боље разумевање и анализу система.

Систем двосложне метрике је—метафорички речено—ментална машина за генерисање трохејских и јампских стихова. Он је заснован на сарадњи својих делова, на њиховој међузависности и често на подгрупама чије се бинарне јединице и структуре налазе у хијерархијским односима *опозиције*, од којих је један члан сваког пара *необележен* а други *обележен*. Необележени члан је *примаран, основни, неутралан, природан и нормалан*, а обележени је *секундаран, изведен, неприродан или абнормалан. Обележене јединице и структуре увек носе неке нове информације, укључујући и додатне структуре, јединице, функције и правила*. У двосложној метрици у „игри" обележености учествује неколико јединица, структура, функиција и правила. На пример, прва стопа стиха је обележена јер је њена природа значајно другачија од осталих стопа стиха; у пару узлазни тон према високом тону, први је основни, необележен, а други је обележен; исти је случај са силазним тоном у односу на ниски тон; трохеј је у српском језику основна, немаркирана форма, а јамб маркирана из више разлога: један од разлога је да он има и полустиховне јамбе, чији други полустих се дели на интегрисане, необележене јамбе и неинтегрисане, обележене јамбе; стих без цезуре је необележен, а с њом обележен; песма без строфа је немаркирана, а са њима маркирана; стих без рима је необележен, а са њима обележен; стих без синкопације је необележен, а са њом обележен; итд. Пошто концепт маркираности има јаку објашњавачку снагу, коментарисаћу о њему кад год је потребно.

Контурни, наглашени тонови—узлазни и силазни—увек су јаки да остваре иктус јаког времена стиха. Они су примарни, увек присутни, функционални и немаркирани. Њихови парњаци, равни тонови, високи и ниски, увек их следе у речи или у клитичкој групи, и скоро да немају никакву метричку функцију ван јаког слога стиха кад су узлазни или силазни иктусовани. У таквој ситуацији они као да не постоје. Кад су високи или ниски тон под иктусом на јаком времену стиха тек онда они стварају своју контурно-равну синкопацију. У тој ситуацији узлазни или силазни тон се нађу на слабом времену стиха, али не губе свој интензитет и своју природу. У томе лежи њихова необележеност и њихов допринос оформљавању синкопација: слушаоци и читаоци не очекују да се они нађу на слабом слогу, а они се ипак појаве да испуне преварено очекивање. Једноморни узлазни или силазни тонови не губе своју метричку функционалност, док високи или ниски тонови морају да буду двоморни да би активирали синкопацију. Њихова маркираност у односу на први пар даје бар високом тону могућност да реализује синкопацију чак и кад је једноморан узимањем једне море или од следећег слога своје речи или следеће речи са силазним тоном, да би захваљујући тој мори постао двоморан и привукао иктус. И у овом процесу видимо да маркирани члан бинарне опозиције доноси нешто ново—често неочекивано--обогаћујући метрички систем.

ИНИЦИЈАЛНА СТОПА СТИХА

Сличност између структуре и функција слога и структуре и функција осталих наведених категорија довољно оправдава понуђену хипотезу да је у питању „породична" сличност међу наведеним јединицама, а такође да прва стопа стиха има другачију природу од осталих стопа. Велики број песама—и из других традиција--сугерисао је хипотезу да је постојање иницијалне стопе стиха као засебне структуре са својим специфичним функцијама важно за успешно и лакше стварање песама двосложних стихова. Једно од таквих олакшања компоновању песама је и лакша могућност избора речи за први полустих, јер песник може да користи и у трохеју и у јамбу речи са нагласком на првом или другом слогу прве стопе; оба слога могу бити наглашена и оба слога могу да остану без нагласка. Природа иницијалне стопе је одраз тенденције за оптималношћу метричког система МП као и успешне сарадње подсвесног знања језика и метрике са оним делом метрике који припада култури. Ако специфичност иницијалне стопе није постојала од самог почетка, онда је почела полако, еволуцијом да се одваја од осталих стопа праксом песника, чиме се установило да је то раздвајање корисно из више ралога да би се решило неколико постојећих проблема. Треба узети у обзир и чињеницу да су у току непознатог броја векова неписмени народни песници стварали песме двосложне метрике својом интуитивном импровизацијом, чиме се природно јављала потреба да се еволуцијом образује најбољи и најекономичнији метрички систем—међузависан са језиком али и људском радном и дугорочном меморијом—који су помагали лакшем и бржем стварању песама.

1. Прва стопа стиха је „слободна“ у смислу да даје песнику могућност да је користи максимално и метрички и семантички, што је изузетно важно за бржи и успешнији стваралачки процес.

2. Функције иницијалне стопе стиха омогућују свим речима одређеног броја слогова српског језика да се искористе без обзира на њихову прозодијску природу. Без такве функције прве стопе безброј речи српског језика био би аутоматски одстрањен са почетног положаја стиха и тако осиромашио лексички избор песницима и успорио њихов стваралачки акт.

3. Слично народним епским „певачима“ који користе извесне стандардне формуле и епитете као помоћне подштапалице које већ имају у својој меморији да за време импровизовања нових стихова песме попуне један или два стиха у неким ситуацијама да би добили више „слободног“ времена и омогућили себи да се лакше концентришу на стварање оригиналног

текста, тако и песници индивидуалних песама —као што раде и читаоци—могу да концентришу своју метричку пажњу више на стопе константе него на прву стопу стихова.

4. Први слог у „Шекспировим“ јампским историјским драмама наглашен је више од 3.000 пута, а трећи слог само 34 пута, док су пети слог и седми слог наглашени више од 500 односно 400 пута.(11) Ова статистика такође јасно потврђује хипотезу да су природа и функције иницијалне стопе другачије од осталих стопа двосложних стихова.

5. Српски метричари ММ третирају концепт „трохејска инверзија“ као нешто дато и стандардно. Последњи (?) покушај да испита и реши статус „трохејске инверзије“ учинила су два професора са Универзитета Мериленда 2008 године у свом чланку „Музичка доказна грађа трохејске инверзије“. Они експлицитно говоре о „привидној замени трохејске стопе уместо јампске стопе у иначе јампском стиху“ и пишу да „Постављањем структуралног поређења између стиха и музички компоноване поезије („set poetry“), овај пројекат покушава да вреднује теорије песничке метрике коришћењем нове емпиричке методологије. Специјално су испитане компоноване јампске песме („musical settings of iambic poetry“) са трохејском инверзијом. Наша анализа показује да је компонована музика предвидела, на основу разних доминантних теорија, да се она не уклапа („map“) ваљано у активне композиције тих песама, што сугерише да оне не описују довољно добро стварни ритмички ефекат

трохејске инверзије. Уместо тога, музика сугерише да ми сматрамо ову метричку схему не као трохеј на месту јамба, већ радије као јединицу, чији је први слог наглашен за којим следи анапест („but rather as a unary stressed foot followed by an anapest“) (Мој превод. (12) Према МП, могућност овог метричког спандрела аутоматски је одстрањена природом почетне стопе у односу на остале стопе стиха, јер ту „инверзију“ песници обично праве на почетку стиха. Појава трохејске стопе унутар константе јампског стиха, међутим, треба да се сматра метричком грешком, изузев ако то песник чини из неких оправданих разлога, што је дужност метричара да установи, ако може. Прва стопа стиха, дакле, решава проблем инверзије на најприроднији начин, чинећи га непостојећим.

6. Метричка независност и разноликост иницијалне стопе и њена слобода избора доприносе богаћењу и ритма метричке схеме и оствареног ритма, тј. ритма текста стиха. Изузетност прве стопе стиха омогућава песнику или да следи дати метар—рецимо трохеј--или да искористи једну од три преостале могућности (X Ẋ, Ẋ Ẋ или X X) да би унео већу разноликост остварених ритмова без нарушавања икаквих метричких правила.

7. Постоји и разлика физиолошког процеса изговора почетне стопе у односу на стопе константе стиха. Да би се то боље разумело, погледајмо сличност, аналогију и подударност између функције почетног дела звука музичког инструмента у моменту када музичар ступи у физички контакт са њиме и функције и активирања изговора прве стопе двосложног стиха.

Први контакт, додирни „удар“ инструмента—који траје око једне секунде (13)—подсећа на функцију и трајање изговора иницијалне стопе стиха: почетак изговора као да има нешто другачији звук, да би се у трећем и четвртом слогу уједначио у течно изговорно стање.

8. Прва стопа стиха решава несигурност једне мање групе песника у односу на њену природу, због другачијих функција од других стопа, који због своје несигурности не експериментишу са њом да стварају нове метричке текстуалне ритмове.

9. Такође, „принцип иницијалности“ у разним структурама језика—и не само језика—држи неки нарочити статус у односу на остали део система. У двосложној метрици бива у опозицији са ониме што је на крају из једног или више разлога. Пошто огромна већина песника третира почетну стопу стиха другачије од осталих стопа, треба веровати њиховим имплицитним и свим другим експлицитним разлозима. Из свих горњих разлога треба формално признати статус прве стопе као засебне.

КОНЦЕПТ СЛИЧНОСТИ И АНАЛОГИЈЕ

Постоје јасне *сличности* и *аналогије* између структура и функција *слога, речи, именичке синтагме, глаголске синтагме, стиха двосложне метрике и контурно-равних синкопација*. Пошто све наведене јединице деле неке важне каракеристике, оне припадају групи *„породичне сличности"*. Сасвим је оправдано предпоставити да је *за све њих слог био прототип структуре и делова функција и правила.*

Концепт сличности се не односи само на структуре и материјалне ствари, већ и на сличност функција и правила, док је концепт аналогије нешто компликованији, јер има две дефиниције: широку, општу, тј. необележену, и уску, специфичну, обележену. Обе се користе у свакидашњем животу, у култури уопште, укључујући уметност и „меке" науке. Употреба уске дефиниције доминира у „тврдим" наукама, укључујући генеративну граматику, математику, формалну логику и аналитичку филозофију. Дефиниција необележене аналогије је: „Саобразност у извесним аспектима између ствари које су иначе различите“ (“Correspondence in some respects between things otherwise dissimilar.”), а обележене је: „Закључак да ако су две ствари сличне у извесним аспектима, оне морају да буду сличне и у другим.“ (“An inference that if two things are alike in some respects they must be alike in others.”)(14) Коментари који следе анализу графичке структуре слога оправдавају закључак да све наведене јединице дате групе имају исту структуру као и слог:

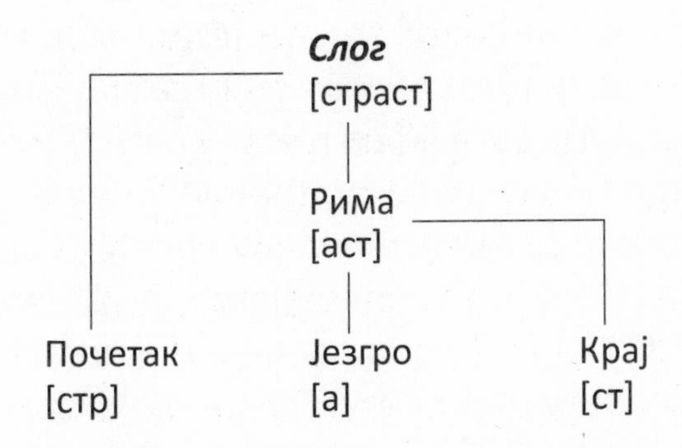

За ***слог,*** дакле, *Почетак* је [стр], *Рима* је [аст], *Језгро* је [а], а *Крај* је [ст]; за ***реч*** *Почетак* је префикс, *Рима* су корен и суфикс, *Језгро* је корен, а *Крај* је суфикс; за ***именичку синтагму,*** на пример, *Почетак* је придев, *Рима* су именица и шта год њој следи, *Језгро* је именица, а *Крај* је шта год следи именицу; за ***глаголску синтагму*** *Почетак* је, на пример, прилог, *Рима* су глагол и шта год му следи, *Језгро* је глагол, а *Крај* је шта год следи глаголу; за ***стих*** има две могућности: прва је, *Почетак* је иницијална стопа и све што може да јој претходи; *Рима* су све стопе константе стиха и све што може да јој следи, *Језгро* је константа стиха, а *Крај* све што може да следи језгру; а друга је, *Почетак* је све што може да претходи иницијалној стопи, *Рима* су све стопе стиха и све што може да јој следи, *Језгро* је читав стих, а *Крај* је све што може да следи језгру; за ***силазно-ниску синкопацију*** *Почетак* је наглашени силазни тон речи, *Рима* и *Језгро* су ненаглашени дуги ниски тон, а нема Крај; ***узлазно-висока синкопација*** има две варијанте: *за прву Почетак* је слог узлазног наглашеног тона, *Рима* и *Језгро* су иктусовани слог једномôрног високог тона и једна мôра следећег слога исте речи или следеће речи са силазним тоном, а нема *Крај*. Додата мôра после кратког иктусованог високог тона може да се сматра као *Крај* али и не мора, јер *синкопације представљају врсту универзалног слога (К)С*—где је „К“ консонанта, а „С“ смогласник--а не (К)С(К) као што чине остали чланови приказане групе; *за другу* варијанту, *Почетак* је слог узлазног наглашеног тона, *Рима* и *Језгро* је двомôрни високи тон, а нема *Крај*.

Термин „Рима“ у датој функцији увели су теоретичари фонолошке метрике за своје универзалне лингвистичке потребе слога. Једно од оправдања за прихватање тог назива лежи у чињеници да вероватно нема значајног контекста у којима би се мешале денотације поетских поступака са поетско-метричким.

СТАРОШТОКАВСКИ, НОВОШТОКАВСКИ, ПРОЗОДИЈСКИ ЕЛЕМЕНТИ РЕЧИ, И ПРИМЕРИ СИНКОПАЦИЈА И РАЗНИХ ПРАВИЛА

Староштокавски је промењен у новоштокавски повлачењем нагласка са задњег слога речи ка почетку речи и појавом нових тонова, и то из више разлога, али два су најглавнија, 1) релативна монотоност старог дијалекта, који почетком петнаестог века није више задовољавао укус и метричко-музичко осећање сељака који су се служили староштокавским метром ; 2) после 1389 године, народ окупираног дела Србије морао је да се окрене ка свом преживљавању, чувању свог идентитета и своје културне традиције колико год је то било могуће под датим условима, и то без српске елите и цркве, који су побегли. Један од најуспешнијих начина да се сачува добар део културне традиције било је активирање и практиковање свог фолклора.

Народне песме, игре и музика биле су најприроднији избор за ту сврху. Мисао З. Ј. Јовановића, „Песма нас је очувала, њојзи хвала“, садржи у себи велику историјску истину. Стварање новоштокавског дијалекта заједно са двосложном метриком постепено је припремало народ не само на усвајање и говор новог дијалекта већ и на процесуирање нових песничких, музичких и фолклорних догађаја. Деца која су била изложена њима усвајала су их заједно са језиком. Резултат од историјског значаја је чињеница да је неписмени народ сасвим успешно остварио своју намеру у сваком погледу.

Главне разлике између та два дијалекта су следеће: Последња верзија староштокавског имала је *нагласак* на било којем слогу речи, од првог до последњег, исто као у руском; затим, речи су садржавале *дужину*, тј. *дуге и кратке слогове*; и *силазни тон*, од којих је само дуги био метрички функционалан јер се кратки није осећао у изговору и певању као тон већ само као наглашени слог. Другим речима, двосложна метрика датог староштокавског дијалекта је била и монотона и моно-тона.

Део процеса промене староштокавских прозодијских јединица у новоштокавски одиграо се отприлике овако: вероватно у једном од експеримената стваратељке су повукле нагласак дате речи са последњег наглашеног слога на претходни слог и установиле да се на том слогу појавио узлазни тон, а да је на старом, сада ненаглашеном слогу, остао „отисак“ у прозодијској форми високог тона, кад је иктусован. Тај процес је поновљен све до прве стопе стиха, изузев на речима које су имале иницијални силазни тон, који се сачувао.

После промене новоштокавске речи су садржавале следеће прозодијске јединице: нагласак, дужину изражену у мôрама, и седам тонова: четири контурна и три равна. Два тонска слога речи су суседи, контурни па равни, узлазни па високи или силазни па ниски. Контурни тонови су увек наглашени, а равни нису никада, али могу да носе иктус. Једино равни ниски тон је увек дуг, док сви други тонови могу да буду кратки или дуги. Али, кратки високи тон у певању под иктусом мора да буде дуг на раније споменут начин. Кад метрички удар падне на слог са равним тоном, онда се ствара једна од шест синкопација: кратко-узлазни тон са кратко-равним, који је претвара у дуги—кад има одговарајућих услова--да би активрао синкопацију; кратко-узлазни са дуго-равним; дуго-узлазни са кратко-равним који постаје дуг; дуго-узлазни са дуго-равним; кратко-силазни са дуго-ниским и дуго-силазни са дуго-ниским.

Нагласак са узлазним тоном јавља се на било ком слогу речи изузев на последњем, а *нагласак са силазним тоном* само на почетном слогу речи:

1. краткосилазни, са̏д, вȍду;

2. дугосилазни , са̑д, вȏљан;

3. краткосилазни и дугосилазни са дужином на крају, *ȍбла̄к* и *вȏда̄*;

4. краткоузлазни и дугоузлазни, вòда, вла́да;

5. краткоузлазни и дугоузлазни са дужином на крају, *вòдāр, вóдā*;

6. тросложни краткоузлазни и дугоузлазни, *вòдити* и *вóдати*;

7. енклитичке групе:, мѝла‿је, вѝла‿је; прȅдā‿ме;

8. проклитичке групе: нȅ‿знā, нè‿дā, окò‿нāс.

Традиционални примери српских лингвиста под 8., „нȅ‿знā“ и „нè‿дā“, носи на првој негативној речци кратко-силазни тон а на другој кратко-узлазни тон. Према језичко-метричким правилима у једносложним проклитикама очекује се само кратко-силазни тон пред речима које имају силазни тон. Није ми познато по ком правилу „не“ носи краткоузлазни тон у „нè‿дā“?

с значи „слог“, а **μ** мôра:

Масне море показују синкопације кад метрички иктус падне на *високи или ниски тон, тј. на тонове који следе узлазни односно силазни тон*. Само узлазни и силазни тонови су увек обележени својим одговарајућим дијакритичким знаком, тј. „акцентом“, а високи и ниски тон под иктусом носе знак „ˈ“ на јаким слоговима у X-формама. Парови под 3, 5, 6, 7 и 8 *могу да остваре своје синкопације према општем правилу кад иктус падне на слог после наглашеног слога, тј. на двоморни високи или дуги ниски тон*: под 3 и први пример под 8 оформљују *силазно-ниску синкопацију док под 5, 6, 7 и други примери под 8--узлазно-високу*. Само прозодијски тип следеће четири речи без клитика или било ког другог додатка не могу да активирају синкопацију: во̏ду, во̑љан, во̀да и вла́да, јер им је други слог кратак. Свака проклитичка група са пребаченим нагласком и тоном понаша се као редовна реч за метричке сврхе.

Следеће речи илуструју шест наведених синкопација: трохејску, кад је иктус високог или ниског тона на јаком непарном слогу константе, а јампску кад је на парном:

Кратко-узлазни тон *комбинован* са кратко-високим: „свѐтлости“, **X̍ X̄̍** X;

Кратко-узлазни са дуго-високим: „по̀во̄рке“, **X̍ X̄̍** X;

Дуго-узлазни са кратко-високим: „кри́нови“, **X̄̍ X̄̍** X;

Дуго-узлазни са дуго-високим: „шу́ме̄“, **X̄̍ X̄̍**;

Кратко-силазни са дуго-ниским: „кр̏ва̄ве“, **X̍ X̄̍** X и
Дуго-силазни са дуго-ниским: „бу̑де̄‿се“, **X̄̍ X̄̍**.

Прозодијска структура изражена X-овима разликује се од писаних примера само у првом и трећем случају, „свѐтлости“ и „кри́нови“, због кратког високог тона на „о“, *који привремено и за тренутак* узме једну мору са следећег слога своје речи и аутоматски се продужује у дворморни тон.

Све песме народних и писмених песника деле исти пуни модел двосложне метрике, МП. Главна разлика међу њима је директна последица начина компоновања песама: усмени композитори су понекад принуђени да понављају неке од формула полустихова или стихова да би добили више времена за стварање нових стихова, а писмени то не морају док их стављају на папир и увек могу да промене све што желе. Она народна песма која је имала срећу да путује од уста до уста такође је имала могућност да се усавршава, што се сигурно често дешавало, као што је био случај и са народним пословицама и загонеткама. Други главни извор народних песама је кад певач пева песму и неко је одмах запише. Један од лажних, ненародних примера је поступак „кукавичјих јаја“: кад Црква, династија или властела нареде или плате некоме да напише пропагандне песме или приче о себи и убаце их као народне творевине у народ. У основној школи или у раним годинама гимназије имали смо прилике да читамо „народне приче“ у којима Свети Сава учи српске сељаке како се сади црни лук или како се оре.

Примери народних песама које следе биће представљени са неколико њихових стихова. Прво *трохејима,* па *јамбима*:

Песма са само четири стиха, осмерац, 4+4:

Ој на ове дуге ноћи
Ко не‿љуби црне очи,
Не‿пада‿му сан на очи,
Већ му пада јад на срце.(15)

У другом и трећем стиху имамо
по једну проклитичку групу:

Ко нѐ‿љӯбӣ цр̑не ѝчи,
X **Ẋ‿Ẋ̄** X̄ Ẋ X Ẋ X
1 2 3 4 5 6 7 8

Нѐ‿падā‿му сȁн на ȍчи
Ẋ X Ẋ X Ẋ X Ẋ X или

Не‿пȁдā‿му сȁн на ȍчи
X‿**Ẋ** **Ẋ̄** X X X‿X X

Кад се увек наглашени силазни слог налази на слабом слогу стиха а следећи слог ниског тона је дуг и иктусован—као у последњем примеру--онда се аутоматски јавља силазно-ниска синкопација, представљена са два масна X-а. Други слог синкопације треба да се пева, али и рецитује са истом јачином као и први, јер је под иктусом. Прва верзија проклитичке групе у трећем стиху песме „нѐпадаму“ не формира синкопацију јер је њен иницијални слог иктусован, а песма је трохејска.

Следећа трохејска песма је лирски асиметрични десетерац, 4+6:

> Смиљ Смиљана покрај воде брала,
> Набрала је недра и рукаве,
> Извила је три зѐлена венца:
> Једнога је себи о̀ставӥла,
> Други својој друга̀рици дала, ...

„Смӥљ Смӥљана ...“ имају нагласке на оба прва слога стиха, што је допустиво према општем правилу прве стопе стиха. Да друга реч има краткоузлазни тон на свом првом слогу, он би омогућио узлазно-високу синкопацију према свом правилу. Реч „зелена“ је дублетска реч: „зѐлена“ и „зелѐна“. Само прва варијанта у датом положају стиха оформљава синкопацију, док друга задовољава иктус без синкопације. Реч „друга̀рица“ у последњем стиху такође ствара узлазно-високу синкопацију: Х **Ẋ** **X̄** Х. Реч „о̀ставӥла“ носи помоћни метрички нагласак. У песми нема нарушавања норме.

Следећи трохејски дванаестерац, 6+6, у првих шест метрички потпуно правилних стихова има дванаест узлазно-високих синкопација наштампаних курзивом, шест у првом полустиху и шест у другом, од којих се *ла̀буда* понавља четири пута, 2 + 2. Високи тон под иктусом је обележен масним словом:

> Ра́нила *дѐв**ō**ј*ка лава и *ла̀б**у***да,
> Лава и *ла̀б**у***да, ӥ‿сӣвог *со̀к**о***ла;
> Њојзи ми *до̀л**а***зе прѐкупци *тр̀г**о***вци:
> „Продај нам, *дѐв**ō**ј*ко, лава и *ла̀б**у***да,
> Лава и *ла̀б**у***да, ӥ‿сӣвог *со̀к**о***ла.“--
> „Идите *о̀д**а**т*ле, прѐкупци *тр̀г**о***вци! ...“

Јамби:

Осмерац, 5+3, са дактилом на крају:

Ах, моја водо сту̏дена̄!
И моја ружо ру̏мѐна,
Што с’ тако рано про̀цвала?
Немам те коме тр̏гати,
Ако б’ те мајци тр̏гала,
У мене мајке нȅ‿има.

Последње речи ових стихова су дактили, али и не морају у традицији певања која ставља помоћни метрички нагласак на последњи јаки слог стиха, чиме привуче иктус и појача и продужи последњи слог. У МП обе варијанте су правилне, укључујући и оне које су дуге у певању.

Јамб, 9-осложни стихови алтернирају са 7-осложним, што чине и женске риме:

Јесења кишна песма Стевана Луковића:

Ту̑жно... Једно̀лик, ду̑г и вла̏жан
Јѐсе̄̍њӣ да̑н се тму̑рӣ;
Пла̏че̄̍ без кра̏ја, бо̑лно пла̏че̄
Су̏мо̄̍ран бѐскра̄ј су̑рӣ;
У мр̀твӣ су́тон што се хва̏та
Јѐдна̄̍чи, jѐца вѐсма
--- По тру̏ло̄м лӣ̑шћу, прѐко бла̏та ---
Ста̑ра̄̍, бо̑лна и полага́на,
Ў̏бо́̍гӣх, му́тнӣх, шту́рӣх да́на̄
Јѐсе̄̍ња̄ кӣ̏шна̄ пѐсма...

Спо̀ме̍ни дâвнӣ ти́ште, ти́ште,
И с њи̏ма вêк се чâмӣ.
... Jѐца и пла̏чē дâвнӣх да́нā
По̏спа̍̏на, бôлна, и лага́на,
Jѐца и пла̏чē у̏ тоj та́ми,
К’о глу̂хӣ жу̂бор су̂за са́мӣ’,
Далѐке срѐће пѐсма...

А̏х, jа̏дно дра̂го!... Вѐчно та̀ко,
Кâj се, и кâj, и жа̏лӣ!
И док за сêнӣм’ на́да пâлӣ’
По̀гре́бнā бру́jӣ пѐсма,
Спо̀ме̍̄не бле́дē срѐће хрâнӣ,
По̀сле́дњē сво̀jе вâрке брâнӣ,
И вѐни, вѐни вѐсма!...

Ту̂жно... Jеднòлик, ду̂г и вла̏жан
Jѐсе̍̄њӣ дâн се тму̂рӣ;
Пла̏че̍̏ без кра̀jа, бôлно пла̏чē
Су̏мо̍̄рнӣ, бѐскрāj су̂рӣ;

И ту̂жан, ту̂жан ро̀пац тâjнӣ
Далѐкӣх слу̏шāм да́нā;
У̀гу̍̂шен jѐца шу̂м *бѐскра̍̏jнӣ*,
Ти̏ши̍̏ и ти̏шӣ вѐсма ---
К’о стâра бôлна, полага́на,
У̀бо́гӣх, му́тнӣх, шту́рӣх да́нā
Jѐсе̍̄ња ки̏шна пѐсма.(16)

Неочекиване маркиране ствари у песми су седеће:

-- Да она садржи *десет* узлазно-високих и *десет* силазно-ниских синкопација!

-- Да су све синкопације – изузев једне -- на првом полустиху песме;

-- Да се само у једном стиху јављају две синкопације, од сваке по једна;

-- Да има нетипично велики број дугих слогова;

--да има око 77 силазних тонова а узлазних само око 34, што је супротно од онога што се нормално очекује;

-- да свако може да је пева—ако пажљиво прати прозодију речи—према уграђеној мелодији, ритму и значењу речи, стихова и песме. (Прво читати па запевати. Лако је тестирати горњу сугестију. Могуће је рећи да је свака песма двосложне метрике својеврсна музичка композиција.)

Ова песма је компонована у скоро перфектном јамбу, тј. са једном метричком грешком у првом полустиху осмог стиха. Али то је можда намерна грешка да би песник дозволио речи „Стâра̄̍“ да и она—као и друге речи исте прозодијске структуре--буде прва а не друга у стиху да оствари силазно-ниску сикопацију. *Из свих примера стихова са синкопацијом види се да су оне реално постојећи музички део новоштокавских речи и зато двосложне метрике свих песама и песника већ неколико векова.*

Следе првих десет стихова те песме са шест синкопација у том делу да се види метричка разлика између МП и ММ:

Модел песника 1 2 3 4 5 6 7 8 9		Модел метричара 1 2 3 4 5 6 7 8 9
X̄̍ X X X̍ X X̄̍ X X̍ X	1	X̄̍ X X X̍ X X̄̍ X X̍ X
X̍ **X̄̍** X̄ X̄̍ X X̄̍ X	2	**X̍** X X̄ X̄̍ X X̄̍ X
X **X̄̍** X X̍ X X̄̍ X X̍ X̄	3	**X̍** X̄ X X̍ X X̄̍ X X̍ X̄
X̍ **X̄̍** X **X̍** X̄ **X̄̍** X̄	4	**X̍** X̄ X **X̍** X̄ **X̍** X̄
X **X̍** X̄ **X̄̍** X **X̍** X **X̍** X	5	X **X̍** X̄ **X̄̍** X **X̍** X **X̍** X
X̍ **X̄̍** X **X̍** X **X̍** X	6	**X̍** X̄ X **X̍** X X **X̍** X
X **X̍** X̄ **X̄̍** X **X̍** X **X̍** X	7	X **X̍** X̄ **X̄̍** X **X̍** X **X̍** X
X̄̍ **X̍** **X̄̍** X X X X **X̄̍** X	8	**X̍** X **X̄̍** X X X X **X̄̍** X
X̍ **X̍** X̄ **X̄̍** X̄ **X̄̍** X **X̄̍** X	9	**X̍** X X̄ **X̄̍** X̄ **X̄̍** X **X̄̍** X
X̍ **X̄̍** X̄ **X̍** X̄ **X̍** X	10	**X̍** X̄ X̄ **X̍** X̄ **X̍** X

Свака двосложна или дужа српска реч, дакле, садржи по два тона, један за другим: узлазни па високи и силазни па ниски. Српска двосложна метрика трохеја и јамба заснована је на немаркираном узлазном и силазном тону. Они су норма и главни део метричког система. Њен додатни, маркирани нередовни део, високи и ниски тон, комбинују се са једним од одговарајућа два претходна тона, омогућавајући двосложној метрици *политоничност* и *полифонију* остварену синкопацијама кадгод се високи или ниски тон нађу на иктусованом, јаком слогу стиха. Тонови су увек везани за реч а не за свој самогласник. Сви тонови су интегрисани у систем, добро сарађују, међузависни су и деле метричка правила.

Лаза Костић је један од највећих српских песника и највећи експериментатор метрике у многим врстама стихова. Његов превод следећег јампског стиха Вилијама Шекспира--који је био главни псеудоним правог писца сера Хенрија Невила (Henry Neville, 1562-1615)--из *Хамлета*, илуструје Костићево свеопште мајсторство. Хамлетова мајка говори Хамлету у класичном „Шекспировом" десетерачком blank verse-у:

"I pray thee stay with us; go not to Wittenberg,"

X **Ẋ** X **Ẋ** X **Ẋ** X **Ẋ** (X) **Ẋ** (X) **Ẋ**

1 2 3 4 5 6 7 8 (9) 10 (11) 12

Неки слогови на слабом времену стиха у ненаглашеним речима у енглеској метрици често се третирају као да не постоје у изговору, што је енглеска традиција прихватила, тако да дати дванаестерачки стих у ствари задовољава десетерачко правило стиха. А како је Костић превео тај стих? Исто дванаестерачким стихом који је претворио у десетерачки:

Мо̀лӣм‿т` о̀ста̄ј, нѐ ид`‿у Вѝтенбе̏рг,

x x x x x x x x x x

1 2 3 4 5 6 7 8 9 10

У српском Костић користи асиметрични десетерац, док у енглеском стиху цезура нема такву улогу као у српском. У овај драмски стих Костић је уградио, неочекивано, три узлазно-високе синкопације. Треба обратити пажњу да је и слог „ӣд“ дуг због следећег предлога „у“ чију мору је узео претходни слог да постане двоморан. (У изговору на сцени сваки пар слогова синкопација би се изговорио успорено са кратким одмором и са приближно истом јачином али приметно дужим дугим слогом под иктусом.)

Део прототипа горњег стиха јавља се у народном несиметричном десетерцу у песми „Старина Новак“:

Бо̂г т` у̏био, горо Рома̀нијо!

У трохејској песми, 6+6, „На дну реке“ Војислава Илића,(17) у првом стиху последња два слога речи *лепо̀те* чине узлазно-високу синкопацију:

Ре̂ко, бѝстра ре̂ко, *лепо̀те ти* тво̀је!

1 2 3 4 5 6 7 8 9 10 11 12

x x x x x x || x x x‿x x x

| | |

+н -н -н

у в

м мм м

Два масна Х-а описују стање за време певања или рецитације. „+н“ значи да је слог наглашен; „у“ означава улазни тон, „в“, високи тон, „м“, мору, а „||“ стандардни знак за цезуру. Пошто се положај цезуре у стиху понекад помера, она се традиционално обележава датим знаком. Једноморни самогласник са високим тоном другог „е“ у групи „лепоте ти“, у метричком контексту добија још једну мору у певању и рецитацији због снаге комбинованог иктуса са додатном мором „узетом“ од „ти“, што им омогућава да заједно остваре ту синкопацију због продуженог самогласника „ē“. *У клитичким групама српског језика море такође скачу--и преко сугласника—увек с десна на лево*.

С тачке гледишта *предвидљивости прозодијских јединица, дужина слогова (углавном) није предвидљива нити је место узлазног тона у тросложницама и дужим речима*. Што се тиче „дужина“ у двосложној метрици, она има разнолико порекло: фонолошку дужину у значењским речима; граматичку дужину, као у генитиву множине; фонетску дужину једноморних слогова на крају речи у певању; и метричку дужину једноморног високог тона који узме једну мору следећег слога своје речи или следеће речи са силазним тоном да *привременом дужином* активира узлазно-високу синкопацију.

Разлика изговора синкопација у односу на остале делове стиха треба да се лако осети пошто је једна од њихових главних функција да остваре преварено очекивање са снажним емоционалним „музичким украсом“. Покушајте да изговорите групу „ле**по̀тē**‿ти“ са осетљиво јачим и фонетички дужим изговором масних слогова—што је директан резултат иктусованог јаког слога стиха--и обратите пажњу да је иктусовано „е“ са високим тоном дуже од „о“ да би се одржало на висини, и осетио нови доживљај у његовом изговору. То је правило у певању старроградско-сеоских песама неких певача.

Први стих Дучићеве трохејске песме „Крила“(18) је добра илустрација за правила употребе високог тона, наиме да он треба да има две море да би иктус на њему активирао узлазно-високу синкопацију. Први стих те песме је:

Лѐтети, лѐтети, лѐтети висо̀ко
Ẋ X X **Ẋ** **Ẋ̄** X || **Ẋ** X X X **Ẋ** X
1 2 3 4 5 6 7 8 9 10 11 12

Понављање речи „лѐтети“ и његов *средњи пример доказ су да се метар двосложних стихова формира прозодијским јединицама речи*—у овом случају активирањем синкопације иктусом на високом тону средње поновљене речи--*а не границама речи*. Метричари ММ сматрају да је иктус на средњем слогу средње речи „лѐтети“ метричка грешка.

Следи пример метричке проклитицизације у Дучићевој трохејској песми „У сумраку“, 6+6, у првом стиху:

Одвела ме туга **й**‿мӣсли злослутне
X X X X X X || **Ẋ**‿X̄ X X X X
1 2 3 4 5 6 7 8 9 10 11 12

Нема синкопације јер иктус пада на седми слог трохејског наглашеног и иктусованог „и“.(19) Као што се види, нагласак је прешао са значењске речи на свезицу и учинио стих метрички правилним. Тај процес се остварује само када значењска реч има силазни тон. Песници се релативно често служе тим правилом иако се оно ретко примењује у свакидашњем говору. То правило у овом случају нам каже да се сада наглашено „и“ свезице изговара јаче од првог слога именице „мисли“, али може и са сличном јачином јер је први слог именице дуг, што донекле подсећа на ефекат синкопације.

У истој песми у првом стиху друге строфе имамо пример у коме су три суседна слога метрички активирана, а иктус пада и на први слог једносложне речи и на други слог следеће двосложне речи која ствара узлазно-високу синкопацију:

Ево једно гробље. **Тȗ лѐжē** сељаци,

X X X X X X ‖ **X̄̍ X̍ X̄̍** X X X

1 2 3 4 5 6 7 8 9 10 11 12

Иако овде прилог „Ту“--који може да носи емфатички нагласак--не припада синкопацији, у датом контексту он и метрички, и музички, и семантички сарађује са узлазно-високом синкопацијом дајући јој већи значај и тежину него што се то обично дешава. Сва три прозодијска елемента—дужина, висина и јачина--другог, тј. високог тона у „лѐжē“ лако се осећа.

Рима пружа један од најбогатијих ритмичко-естетских доприноса песмама. Очекује се да се један од њених прозодијских елемената подудара са последњим јаким слогом стиха. Песници су свесни тога и зато обраћају велику пажњу на то и користе нове, оригиналне и метрички разноврсне парњаке-риме. Очекује се да се риме-парњаци слажу по нагласку, дужини и тону. То је идеал који није лако остварив због важности значења стихова и тешкоће око тражења најбољих речи. Такође, песници желе да се и синкопације јављају у тим позицијама да додатно естетски обогате крај стиха. Та метрички важна структура с правом служи МП да још једном докаже не само да су равни тонови метрички активне јединице већ и да су песници „свесни“ тога јер се њима служе кад год су им потребни. Велика количина примера то и доказује. Следи неколико таквих примера у којима трочлани парњак формира одговарајућу синкопацију:

Дучић: „блêска“ ~ „нѐбескā“, **X̍ X̄̍ X**; „злòслутне“, **X̍ X̄̍** X ~ „му̑тне“; „зво̏но ~ “монòтоно“, X **X̍ X̄̍** X; „сре̏тан ~ „истòветан“, X **X̍ X̄̍** X; „тâјно“ ~ „òчāјнō“, **X̍ X̄̍ X̄**.

Ракићеви: „Мòрава“, **X̍ X̄̍** X ~ „спâвā“; „беда“ ~ „запòведа“, X **X̍ X̄̍** X; „òни“ ~ „и̏скони“, **X̍ X̄̍** X; „минàрета“, X **X̍ X̄̍** X ~ „цвета“; „при̏влāчē“, **X̍ X̄̍ X** ~ „мраче.

Има две врсте „одступања“ од метричке схеме: једно је право нарушавање, а друго је привидно „одступање“, тј. одступање према неким правилима. Прва врста одступања јесте метричка грешка ако не може да се објасни ни на који начин; друга није. Најјаче огрешење о метричку норму би било стављање на слабо време стиха вишесложнице са дугим силазним тоном када тој речи претходи нека значењска реч на коју нагласак и тон не могу да се пренесу, што се вероватно најређе дешава. Ако се деси, онда има две могућности: или је песник тиме хтео да каже нешто додатно, тј. да та обележена структура потенцијално носи неко значење које треба објаснити. Ако тога нема, онда би то била метричка грешка.

„НАРУШАВАЊЕ" МЕТРА

Последњи иктус стиха могу да остваре дуги слог речи, двоморни високи или ниски тон, или помоћни метрички нагласак. У метрици је психолошки моменат--као део очекивања испуњења метричке схеме--у исто време и пратећи део физичког изговора, рецитације или певања. Мора да се претпостави да је помоћни метрички нагласак и на последњем једноморном јаком слогу стиха довољно јак да оствари иктус. Песме добрих песника нам то кажу, што значи да они знају правила и да их упражњавају, свесно или не. Проблем „празне" стопе на последњем јаком слогу стиха *када је тај слог само самогласник* и даље је проблем углавном због заборављене оригиналне традиције певања. Можда је само у изговору последња тросложна реч са иницијалним нагласком била дактил? Међутим, кад би се принцип „празне стопе" заиста примењивао на последњем јаком слогу српске метрике, био би нарушен бар један део метричких правила, као и оријентир за друга правила.

Српски језик има доста вишесложних речи на којима се узлазни тон не јавља на првом или другом слогу речи, као на пример у „међунáроднӣ“. Такви слогови у стиху су увек „празни“ по природи и нема начина да се било на који начин попуне. То нам каже да нема правила да сви јаки слогови стиха мора да буду испуњени. Тачно је да је могуће не користити такве речи, али МП је оптималан и у смислу да природно допушта коришћење свих речи дозвољених дужина.

Реч *ȍблāк* из јампске песме Лазе Костића „После погреба“, добар је пример пара рима као примене метричког правила за последњи јаки слог:

у грýдма бȍжји зрâк,

X **X̄̍** X X X **X̄̍**

...

у о̀чима ȍблāк

X **X̍** X X **X̍** **X̄̍**
1 2 3 4 5 6

Савремени српски метричар, Леон Којен, пише: „Два стиха с акцентом на петом слогу, оба у песми \`После погреба\`, морају се сврстати у огрешења о метар, јер акценту на слабом времену не претходи интонациони прелом.“ и „По свему судећи, Костић је рачунао да је дужина у речи *ȍблāк,* без обзира на то што се налази у финалном слогу, прозодијски довољно проминентна да ритмички пригуши претходни кратак акценат. Али, као и у другим случајевима ове врсте, ритмичко осећање јасно нам говори супротно:

дужина у финалном слогу речи, чак и затвореном, нема метричке могућности дужина у унутрашњим нефиналним слоговима.“(20) Ни једно од Којенових тврдњи није тачно. Пре свега, у МП нема „ритмичког пригушивања претходног кратког акцента“. У примеру који је навео, ситуација је обрнута: кратко-силазни тон остаје наглашен, а дуги ниски тон на најјачем слогу стиха, тј. последњем јаком слогу, може да се изговори чак и јаче, било да представља силазно-ниску синкопацију или не. Неке староградско-сеоске песме су добар пример горњег правила МП. Правило које је Којен извукао из свог „ритмичког осећања“ не постоји у МП, те зато ни за реч „ȍблāк“, јер је Костић несумњиво хтео силазно-ниску синкопацију чији се задњи слог правилно римује са „зра̂к“, римом свог претходног парњака. Исто би се десило и без риме.

Сличну ситуацију имамо и у Костићевој драми *Максим Црнојевић*, јамб, 5 + 5, у стиху

Што свêту нȅкад дóђе у пȍмōћ,

X X̄ X X̄ X || X̄ X X **Ẋ** **X̄**,

1 2 3 4 5 6 7 8 9 10

У овом случају могуће је пребацити наглашени кратко-силазни тон последње речи на предлог-клитику „у“,

Што свету некад дође ȕ‿помо̄ћ,

X X X X X || X X **Ẋ** X **X̄**

1 2 3 4 5 6 7 8 9 10

Има два разлога зашто Костић није изабрао клитичко решење: песници у оваквим случајевима, сасвим природно, увек дају предност синкопацији због ритмичко-мелодијског и естетског богатства а не монотонском решењу са „пребацивањем нагласка“; други разлог је семантички контекст који не подржава панично „У̏ помо̄ћ!“ Системски је логично да постоји иктус на последњем јаком слогу и да је избор синкопације приоритет. Нажалост, то метричари ММ не виде.(21)

Навешћу и један редак пример „празне стопе“:

Петострофна катренска трохејска песма „Везе“, 6 +5, Симе Пандуровића има следећу структуру стихова (22):

X̍ X X̍ X X̍ X || X̍ X X̍ X X̍

1 2 3 4 5 6 7 8 9 10 11

Њена средња строфа је обележена на више начина. За нашу сврху користан је први полустих трећег стиха те строфе који се само површински (али не и дубински) састоји од пет а не очекиваних шест слогова:

Про̀лећа у̏зда̄х || раздра̀жљив и ме̏к

[пролећа уздаах]

X̍ X̍ X **X̍** **X̍̄X** || X **X̀** **X̍** X X̏

1 2 3 4 5(6) 7 8 9 10 11

Песма је изузетно богата звучном оркестрацијом, звучним метафорама које понављају идеје и осећања изражених речима. У датом контексту садржаја и форме, реч „уздах“—која је један слог краћа од очекиваног броја, и која се налази скоро у самом физичком центру песме, те је зато и од већег значаја—као да захтева да се њен последњи слог продужи у певању или рецитацији за једноморни слог, [ỳздāах], и поред тога што је задњи самогласник речи већ дуг. Приметно је да се за време изговора тог слога брзина изговора скоро аутоматски успори. Иако је у стварности та реч двосложна, ми можемо да је доживљавамо као тросложну из фонетских, метричких, психолошких и естетских разлога, иако и без тог продужетка не осећамо да је метар нарушен недостатком једног очекиваног слога пред паузом, јер се под иктусом—а и *пред паузом*—кратки и дуги слог изговарају дуже, а песник све то осећа и „зна“. Оно што је најважније, међутим, у овом случају се користи дужина другог, дугог и иктусованог слога речи да задовољи метричку норму на до сада најоригиналнији начин пред цезуром. У овом случају ни читав „непостојећи“ слог или мора нису празни: остварена је силазно-ниска синкопација у последњој речи. То је новина. И уметност.

Метричка правила обично надјачавају правила синтаксе. Кад се једносложна иктусована реч--ван прве стопе--јавља на јаком слогу стиха, она има примат, без обзира каква реч јој следи. Прва реч се изговори са јачим нагласком, а друга са мањим. Ту имамо главни случај смањења нагласка. На пример, у Ракићевој љубавној трохејској песми „Обнова“,(23) 6+6, у другом полустиху осмог стиха

...ча̑р‿љу̑бљёне жѐне,

|| X‿X X X X X

7 8 9 10 11 12

реч „ча̑р" под иктусом носи тај јаки нагласак, док је нагласак речи „љу̑бљене" ослабљен али дужина није, а помоћни нагласак на другом слогу те речи чува правилност стиха и песме његовим нешто јачим изговором јаког слога.

Кад се једносложна наглашена реч нађе на слогу слабог времена, њен нагласак се обично смањи у изговору, од чега зависи и њен било колики додатни ритам стиху.

Дакле, кад двосложна или дужа реч има двоморни високи или ниски тон, она аутоматски има два слога дате речи за избор песника на који могу да ставе метрички иктус песме: на узлазни или силазни, или високи односно ниски. *За разлику од високог и ниског тона, узлазни и силазни тонови метрички су активни* чак и кад су једноморни пошто су увек наглашени и зато способни да носе иктус. Њихов иктус, међутим, никада не активира синкопације. А двоморни високи или ниски тон под иктусом могу да активирају своју синкопацију на сваком јаком слогу стиха, изузев првом.

ММ не зна за постојање високог и ниског тона нити метрички функционалних мора, не признаје помоћни метрички нагласак, а признаје као метрички функционалне само увек наглашене узлазни и силазни „акценат", и неке ненаглашене дуге слогове под иктусом.

Пример за *помоћни метрички нагласак* (ˮ) је први стих Ракићеве јампске песме Adagio II, 5 + 6:(24)

Задр̏хташе̏ на ста̀бљика̏ма гла̀тки

X X́ X X̋ X ‖ X́ X X́ X X́ X

1 2 3 4 5 6 7 8 9 10 11

Изговор дугог слога „ше̏" је скоро исто јак као и нормално наглашеног слога своје речи, али пошто има две море, он је и дужи; слог „ка̏" у горњем примеру је наглашен и кратак и изговара се нешто дуже и јаче него његови директни обострани суседни ненаглашени слогови.

Следи неколико примера помоћног метричког нагласка у парним римама:

Дучић: „јаблано̏ви", X X X̋ X ~ „снови"; „њина" ~ „месечи̏на", X X X̋ X ; „закуца̏ше", X X X̋ X ~ „шаше"; „чекају̏ћи" ~ „кући".

Ракић: „висина" ~ „месечи̏на", X X X̋ X; „успоме̏на", X X X̋ X ~ „жена"; „поноси̏то", X X X̋ X ~ „жито"; „пепели̏шта" ~ „ништа"; „мира" ~ „манасти̏ра".

Могуће је да је помоћни метрички нагласак део психофизичке реалности стихова двосложне метрике. Сваки корисник двосложних стихова, који је довољно компетентан, било да чита „у себи" или на глас, скоро аутоматски га остварује под „притиском" очекиваног метричког иктуса. Он се природно јавља за време модулације изговора речи када читалац или слушалац очекују иктус, што их припреми за његово остварење. Јачина тог нагласка је променљива зависно од контекста и од самог читаоца. Очекује се да је његова мора довољно јака да задовољи и оствари метрички импулс. То значи да се у контексту двосложне метрике исте речи понекад изговарају мало другачије него у свакидашњем говору. У таквим случајевима и леже основне разлике и новѝне које двосложна метрика доноси у односу на свакодневни говор. Другим речима, конвенције двосложне метрике траже формалнији приступ језику, тј. прозодији речи, која и иначе има доминантан положај у двосложној метрици. Али, и поред свега наведеног, не може да се 100% тврди да тај нагласак заиста постоји. Можда је у питању само метричка снага очекиваног иктуса на јаком слогу коју ми психолошки доживљавамо као неки помоћни метрички нагласак.

Питање се ипак поставља, „Да ли је јаки слог стиха увек довољно јак, чак и кад је кратак, да привуче иктус и оснажи артикулацију или је још потребан помоћни метрички нагласак да то учини?“ Помоћ за решење тог проблема можда лежи у разлогу за трословжну структуру узлазно-високе синкопације кад једноморни слог високог тона, да би активирао иктус, мора да узме једну мору следећег слога своје речи или чак прву мору следеће речи са силазним тоном, што смо видели у неколико примера. Тај слог високог тона нам каже да је према правилу метрички јак слог задовољавајуће јак тек пошто узме мору следећег слога и постане „ двоморан“ на свом слогу. Како правдати метрички иктус на једноморном слогу „ка“у горњим „ста̀бљика̄ма“? Пошто дати јаки слог није довољно јак да оствари иктус јер је једноморан, зато му треба помоћни метрички нагласак да задовољи правило и активира иктус. За решење овог проблема постоје бар ове две могућности: или да се предпостави постојање помоћног метричког нагласка—што ја чиним-- или да се и овакав случај третира као што се третира кратки високи тон коме је потребна још једна мора. Последњи избор захтева даљу анализу и мало је вероватан, зато једино остаје помоћни метрички нагласак, који је у принципу прихватљив за дату ситуацију, а којим се песници користе.

Према томе, сваки дуги слог речи, у сваком јаком положају стиха, може да оствари иктус. Ако је тај слог кратак, онда према правилу, *помоћни метрички нагласак* може да ојача такав слог. Пракса песника нам каже да он постоји и да га они користе у метричке сврхе.

Леон Којен пише,(25): „...акценат на трећем слогу“—у Костићевим јампским трагедијама „Пери Сегединцу“ и „Максиму Црнојевићу“—не би представљао огрешење о метар, „јер би му претходио интонациони прелом на крају претходног стиха.“ Ситуација коју Којен погрешно оправдава нема такву функцију јер су метричка правила примарна и зато правила двосложне метрике надвлађују правила интонације реченице. Стављање наглашеног слога речи на трећи слог јампског стиха није „огрешење о метар“ *једино* ако може да се оформи синкопација захваљујући двоморном високом или дугом ниском тону на четвртом слогу, после „акцента на трећем слогу“.

Исти принцип важи и за трохеј, али на парном слогу.

Трохејски дванаестерац, 6 + 6, Дучићеве песме *Залазак сунца*,(26): нагласак речи на другом слогу стиха, дакле, није грешка јер је део општег правила МП о иницијалној стопи стиха.

А вȍденō цвêћe спâвā над тȁлāсом.

X **X̍** **X̄̍** X̄ X̄̍ X ‖ X̄̍ X̄ X **X̍** **X̄̍** X

1 2 **3** 4 **5** 6 **7** 8 9 10 **11** 12

Одређени придев „водено“ има акценатски дублет: вȍденō и водѐнō. Он је добар пример да илуструје још једну значајну разлику избора између два модела: метричар модела ММ би изабрао други дублет јер он према њиховим правилима не нарушава њихову норму пошто би се „акценат“ речи подударао са иктусом на трећем слогу стиха. Резултат би био неостварење синкопације. Метричар МП би узео први дублет--који је већ представљен на наведеном стиху--да би активирао узлазно-високу синкопацију са њеним естетско-музичким доприносима.

Први слог последње речи стиха, „тȁлāсом“, има наглашени кратки силазни тон на 10-ом слогу стиха а иктус на 11-ом, дугом ниском тону, чиме се аутоматски активира силазно-ниска синкопација. Да је једанаести слог кратак, синкопација не би могла да се оствари и наглашени десети слог био би метричка грешка. Две синкопације у истом стиху пружају веће ритмичко и мелодичко богатство. У ММ тога нема.

Изговор тонова треба да буде прецизнији а и гласнији у певању него што је у дневној говорној пракси ако их неко користи. Нажалост, важност високог и ниског тона као и део њиховог оригиналног изговора су давно изгубљени у свакидашњем говору, а српски лингвисти и метричари не могу да обраћају пажњу на последице те чињенице за метар пошто их још нису открили ни као прозодијске јединице речи те зато ни као метричке функционалне јединице. Метрички активан дуги ниски тон присталице ММ називају „ненаглашена дужина“. Јаке слогове решавају метри, трохеј и јамб, а очекује се да се слог са нагласком речи стави на јаки слог стиха. У МП остварена синкопација има *два слога који функционишу као јаки слогови*: узлазни или силазни првог наглашеног слога и високи или ниски другог иктусованог слога кад имају задовољавајућу дужину.

Којенови примери стихова који следе илуструју обе врсте синкопација из Ракићевих *трохејских* песама „Мисао“ и „Долап“:(27)

а. *И с* ***то́рњēва*** *стâрих ста̏не да се слûва*
Звŷк по̏бо̄жних зво́на̄ што ве̏че̄рње зво̀не

б. *По̀знао си жѝвот и нѐвоље прâве,*
И ***jŷлӣске*** *жё̏ге и сту̀дене но̏ћи.*

Метричка анализа тих стихова према МП је следећа:

1 2 3 4 5 6 7 8 9 10 11 12

а. X **X̄̍** **X̄̍** X X̄̍ X || X̍ X X X X̄̍ X

X̄̍ **X̍** **X̄̍** X X̄̍ X̄ || X **X̍** **X̄̍** X X̍ X

а према Којену:

а. X **X̄̍** X̄ X X̄̍ X || X̍ X X X X̄̍ X

X̄̍ **X̍** X̄ X X̄̍ X || X **X̍** X̄ X X̍ X

Према МП:

б. **X̍** X X̎ X X̍ X || X **X̍** **X̄̍** X X̄̍ X

X **X̄̍** **X̄̍** X X̍ X || X **X̍** **X̄̍** X X̍ X

и према Којену:

б. **X̍** X X X X̍ X || X **X̍** X X X̄̍ X

X **X̄̍** X̄ X X̍ X || X **X̍** X X X̍ X

Своју анализу Којен објашњава овим речима: „У овим стиховима налазимо дужине на јаком времену после сва четири српска акцента, два дуга (*то́рњēва*, *jȗлӣске*) и два кратка (*вѐчēрње*, *пȍбо̄жних*). Разлика између првих двају и других двају случајева је очигледна. Кратки акценти ритмички су пригушени дужинама, које творе јак слог, ...“ „Међутим, акценти на дугим слоговима сами по себи су сувише прозодијски проминентни да би комбинован ефекат метричког импулса и ненаглашене дужине могао ритмички да их пригуши онако како се то догађа с кратким акцентима. Стога у оваквим случајевима јак слог остаје слог под акцентом, док дужине само ритмички сенче стих и немају исти метрички статус као у суседству кратких акцената." И, „..., ако дужини на јаком времену непосредно претходи ненаглашен слог или слог под кратким акцентом, она је прозодијски довољно проминентна да оствари јако време. Међутим, ако је тај слог под дугим акцентом, дужина само ритмички сенчи стих али није 'носилац метра', јер је претходни слог, истовремено дуг и наглашен, прозодијски проминентнији од њеног. Три поменута фактора (метрички положај ненаглашене дужине, њен положај унутар акценатске речи и прозодијски карактер непосредно претходног слога) једина су која утичу на метрички статус слогова под квантитетом у класичном српском стиху." (28) За Којена „класични српски стих" су писали само српски романтичари и постромантичари, а народне песме, народни стих и метрика неписмених сељака, који су створили МП, за њега практично не постоје. *За МП „класични српски стих" је стих свих двосложних песама, и народних и писаних.*

Пре свега, нема никаве метрички функционалне разлике између првог и другог пара горњих именица; затим, оба пара оформљују исту врсту синкопација, што значи да метрички није у питању да ли су узлазни и силазни тонови („акценти") кратки или дуги, јер та разлика не утиче на стварање синкопација, *а о њима је реч*. Којеново објашњење да споменуте разлике „ритмички *пригуше* стих" и „ритмички *сенче* стих" је више импресионистичко него функционално пошто се у датим примерима то не дешава. Правила МП су економичнија, прецизнија и системска и поред тога што покривају шири домен слогова речи и тонова: најпре, кад су кратки „акценти“ иктусовани--тј. увек наглашени узлазни и силазни тон—они *чувају своју нагласну јачину,* иако мање трају од својих дугих парњака, и поред тога што у изговору та два кратка тона скоро да нема никакве разлике. Што се високог и ниског тона тиче, *они реализују иктус само када су двоморни без обзира на дужину наглашених узлазних и силазних тонова који им увек директно претходе.*

Метар двосложног стиха односи се на задату схему, на метричке ударе, тј. на трохеј и јамб, који руководе временском структуром песме, док се *ритам актуелних стихова и песама, тј. текстуални, остварени ритам*, односи на реализовање тих схема у актуелном времену кроз све прозодијске јединице, на све звучне карактеристике појединих самогласника и сугласника, као и на друге јединице, од којих је прозодијска реч разних структура и дужина основна и најважнија у метрици, па цезура, рима, и још неке, укључујући и синкопације као „трећи ритам“, музички додатак текстуалним ритмовима. Српска двосложна метрика зато допушта, и остварује, нередовне али легалне додатке тих ритмичко-музичких јединица кад год то песникова свесна—ако је то--и/или несвесна компетенција и инспирација реше.

Главна ритмичка разлика између језика, а у добром степену и „слободног стиха“, с једне стране, и везане поетске и музичке метрике, с друге, лежи у томе што ритам језика није заснован на периодичној појави својих одговарајућих елемената; насупрот њему, метрички „ритам" укључује такву периодичност, али нема прецизну изохроност музичке метрике. Постоји мишљење да *наш мозак аутоматски чини да ми осећамо више изохроности између интервала при читању и слушању двосложних стихова него што је у ствари има*. Важно је да се проблем ритмова боље разуме да би се боље осећале разлике између ММ и МП. За потребе МП очекује се прецизнија дефиниција и боље схватање типова ритмова и њихових разлика. Задата метричка схема иктуса подразумева ове три главне ствари:

а. Да је он, између осталог, и психолошки концепт, који у кориснику развија осећање одређеног *периодичног очекивања* извесног „метричког ритма", тј. трохејског или јампског;

б. да је део тог „очекивања" и „преварено очекивање" синкопација, које, између осталог, играју значајну ритмичку, емоционално-естетску улогу; и

в. да његова психолошка снага омогућава да тросложне и дуже речи остваре *помоћни метрички нагласак*, довољно снажан да задовољи сваки јаки слог стопе.

Значи да поред метричког импулса, имамо и ритам изговореног текста, којег активно реализује у времену све остало што прати прозодијске елементе у остваривању метричке схеме активирањем метричких правила. (ММ не обраћа довољну пажњу на разлику између „ритма" метричког ипмулса и текстуалног ритма.)

Једна од наших менталних активности у почетку слушања и читања двосложних стихова је апстраховање метричког пулса, што углавном активира—како нам специјалисти кажу--десну хемисферу мозга; остварени ритам текста је, међутим, већим делом процес леве хемисфере мозга и углавном није повезан живчаним ћелијама (неуронима) са метричким пулсом десне хемисфере. Синкопације су аутоматски укључене и у текстуални ритам да највише допринесу емоционалном искуству израженом у привидно „неочекиваном нарушавању" задате метричке схеме песме.

Захваљујући прозодијском богатству српских речи, очекује се да је „уво" песника и певача песама двосложне метрике постало осетљивије на фине разлике њихове прозодије у поређењу са обичним говорницима. То прозодијско наследство треба чувати и уз помоћ двосложне метрике, која то чини аутоматски. Пошто богатство тонова захтева већу потребу обраћања пажње на њих, то можда ствара више проблема за читаоце или слушаоце него за песнике. Али и поред тога, то наслеђено богатство прозодије речи—седам тонова--треба неговати да га потпуно не надвлада „слободни стих" и изговор нестандардних говора. И, наравно, треба одбацити имлицитну тврдњу да само ММ представља српску двосложну метрику али и прихватити га као неадекватног и само једног дела пуне новоштокавске метрике.

Тонска разлика између наглашених слогова краткосилазног и краткоузлазног у свакидашњем говору је непостојећа. Фонолошко правило српских лингвиста да изговор следећег слога после краткоузлазног слога решава тај проблем остаје само правило које подразумева извесно знање које нема ни просечни говорник ни већи део метричара и лингвиста. Метричари то мора да узму у обзир јер и неки песници имају исти проблем. Док је будући песник усвајао свој језик, ретко је бивао у идеалној ситуацији да је увек могао тачно да чује, да разликује и да граматички правилно усвоји све речи са стандардним краткосилазним и краткоузлазним тоном на првом слогу речи. А ако је неки песник научио српски после пубертета, он има далеко више проблема у тој области језика. Речи са краткосилазним тоном врло често се „чују", осећају и схватају као краткоузлазне. Једина потенцијално значајна метричка „грешка" која може да се сасвим природно очекује и од најбољих метричара-песника, лежи тачно у том случају: на пример, песници понекад употребљавају тросложне речи са „стандардним" краткосилазним акцентом као да имају краткоузлазни. „Кривица" за то не лежи у песницима толико колико у мало осетљивој разлици између та два кратка тона. Примера за то има много. Требало би да се метричари сложе, да кадгод се у некој песми појави реч са краткосилазним тоном стандардног новоштокавског дијалекта, а коју песник третира као да има краткоузлазни, да може да се сматра да је песник у праву и за себе и за песму, јер за њега та реч има краткоузлазни акценат; али—и поред „кадгод"--тај предлог не треба да се претвори у правило. У првом делу 19. века лингвисти и метричари нису ни правили разлику између та два кратка тона, а већина народних песника јесте. Дуги тонови се лако осећају и не представљају проблем ни песнику ни слушаоцу. У вези са тиме, потребно је направити следеће хипотезе: ране генерације новоштокаваца су, сасвим могуће захваљујући често певаним песмама, обраћале довољну пажњу у изговору и зато су лакше разликовале те кратке тонове. Ти новоштокавци су се вероватно трудили, пре свега, да изговарају речи са „краткоузлазним акцентом“ тако да је слушалац могао лако да их осети и разуме. Старо, пре-Вуковско, „фолклорно-епско“ време оригиналног изговора и/или певања бар једног од тонова се полако губило, и можда променило до тог степена у свакидашњем изговору да се данас чини да можемо само да нагађамо о оригиналном стању. Срећом, све песме новоштокавског двосложног метра—као и део сачуване традиције певања--чувају у себи довољно потребних обавештења на основу којих је могуће доста успешно реконструисати оригинални изговор ако се то жели. Такође, слушање неких старих новоштокавских певаних песама двосложног ритма, укључујући и старpermalinkоградско-сеоске песме, допринело би истом циљу. Све то води ка потреби да бар кад се формално читају трохејске и јампске песме, читалац би могао--ако га интересује да се потруди--да изговара високе тонове синкопација нешто другачије него што се то чини у обичном говору. С обзиром да се нешто од прозодијског богатства већ изгубило у свакидашњици, престанак стварања песама двосложног метра омогућило би и бржи нестанак неких прозодијских елемената речи. Њихов губитак не би значио никакво „усавршавање“ језика већ просто осиромашење. Специјалисти који испитују људски мозак установили су да особе које се баве музиком успевају да обогате свој мозак могућностима које други немају. Не само певане песме српске двосложне метрике него и рецитоване песме двосложне метрике са синкопацијама ближе су музици него што се то обично мисли. *Штампане песме са дијакритикама прозодијских елемената на речима биле би добродошле не само странцима који уче српски већ и за домаћу школску и свакодневну употребу*.

РАКИЋЕВА ПЕСМА СА ОБА МЕТРА, „СТАРОСТ I":

Пошто Ракић није песник који је експериментисао са поетичким конвенцијама и метричким могућностима, ова песма је пријатно изненађење. Она садржи осам катренских строфа, четири трохејских, 6+6, и четири јампских, 5+6. Трохејска половина садржи осам узлазно-високих синкопација, четири у првим полустиховима и четири у другим, и једну силазно-ниску у првом полустиху. Јампски део има четири узлазно-високих синкопација у првим полустиховима и пет у другим, и две силазно-ниске синкопације, једну у првом полустиху и једну у другом. Све заједно, у песми има двадесет синкопација. Метричари ММ би сматрали око половину њихових нагласака одступањем од метра, укључујући и неколико помоћних метричких нагласака. За ММ ова песма је метрички неуспешна. За МП, она је безгрешна. Песма „Старост I" је обележена и у још једном смислу: реченица „... старост пре времена стиже" понавља се у последњем стиху трохејског дела и у првом стиху јампског дела у истом положају у оба стиха(29):

И к`о нѐма̄н ста̏ро̄ст прê‿времена стѝже̄.

X‿X‿**Ẋ** X **Ẋ** X || **Ẋ** X Ẍ X **Ẋ** X
1 2 **3** 4 **5** 6 **7** 8 **9** 10 **11** 12

-- Дâ, дрâга̄, ста̏ро̄ст прê‿времена стѝже̄,

Ẋ **Ẋ** X **Ẋ** X || **Ẋ** X Ẍ X **Ẋ** X
1 **2** 3 **4** 5 **6** 7 **8** 9 **10** 11

Јамби

Због тога што се у МП у двосложним стиховима користе сви прозодијски елементи, остварени ритмови су изузетно разноврсни и богати. Насупрот МП, метричари ММ дају привилегију нагласку речи и дозвољавају метричку употребу само неких ненаглашених дугих слогова, док у исто време не знају за синкопације, укључујући високи и ниски тон као активне метричке прозодијске јединице. И поред сиромаштва остварених ритмова уграђеног у њихов модел, следбеници ММ нису сматрали потребним да испитају и установе временске разлике трајања јаких и слабих слогова у разним положајима стиха и њиховог утицаја на ритам. На пример, у шведском метричком систему, јампски слог слабог времена је око 50% краћи од јаког слога. Изгледа да је разлог томе што се јаки слог јамба налази на граници следеће стопе и да тај гранични положај аутоматски продужује јаки слог. Њихов слаби слог трохеја је 80% дуг у односу на његов јаки слог.(30) Јасно је да та временска разлика донекле утиче и на текстуални ритам стиха и песме, и да је зато важно знати каква је разлика—ако је има—између српских јаких и слабих слогова трохеја и јамба.

Треба имати у виду да оно што је свакодневни нормални говор за језик то су певање и формално рецитовање за двосложну метрику, и то је њихово природно, необележено стање, док је обично читање обележено као историјска последица порекла новоштокавског дијалекта. Нерегуларни ритам синкопација је један од најважнијих „музичких“ делова песама. Као што је певач без диригента свој сопствени диригент, тако и корисник песама двосложне метрике—идеално говорећи--замењује песника-метричара у смислу да зна шта да очекује од песме, шта су њена метричка схема и текстуални и музички ритам. Да би уградио дати ритам песама у своје рецитовање или певање—укључујући и њихов емотивно-естетски набој--он мора да унесе у своју акцију сваки нагласак, сваку дужину и сваки тон јаких слогова стиха, као и последицу сваког легалног и илегалног „одступања“ од метричке схеме.

Милосав Тешић у свом чланку „Јамби на расклапање Рајка Петрова Нога“ тврди да је Ного „створио један оригиналан дужи стих“.(31) Таква тврдња не одговара стварности. МП постоји већ неколико векова и на њему мора да је давно коришћен полустиховни јамб свих форми и у народним песмама и у писаним. У другој половини 19. века и почетком 20. написано је бар двадесетак полустиховних јамбова.

Принцип дуплирања стихова у један дужи стих са цезуром, у два полустиха, представља природни развој заснован на општим метричким принципима понављања и симетрије, као и капацитета радне меморије и система дисања. У оба метра у почетку су постојали бесцезурни краткосложни стихови, који су се временом дуплирали у шестерце, осмерце, десетерце и дванаестерце са цезуром, итд. Јамб има четири варијанте: једна је стандардна, у којој су полустихови са обе стране цезуре потпуно интегрисани у један стих који броји слогове од првог до краја стиха, што је случај са огромном већином постојећих јампских песама; и друге три, које су варијанте форми другог полустиха—зато је нормално назвати их „полустиховни јамби"--две интегрисане и једна неинтегрисана; оне броје полустихове засебно од један до цезуре и од цезуре од један до краја полустиха. Ного није „створио" тај прости стих, јер је он већ дуго постојао у МП. Реч „прост", али и „примитиван" за тај стих је адекватан из разлога што се и прва стопа његовог оригинала без цезуре може да пренесе на прву стопу другог полустиха сада са цезуром без икакве исправке. Кад се према МП прочита само неколико првих стихова песме Нога „Кенотаф", 7+7,(32) одмах се види да су те песме неинтегрисани полустиховни јамб. Стихови 4-7:

Мирѝшу бо̂р и ја̏вор || и ра̀стопљена смо̀ла
Не мо̀гу та̏мо у́ћи || ва̏зда ме нѐко спре̂чи
А за̏ руку ме во̏ди || о̀ној ко̀ја̄ се збо̀ла
Тво̂ј сам гро̏б ко̂га не̂маш || што‿шо̀боће и зве́чи

Могуће је да је природа иницијалне стопе разлог за појаву неинтегрисаног полустиховног јамба. Иницијална стопа другог полустиха понаша се као и иницијална стопа првог полустиха, тј. она може да носи нагласак на било којем од прва два слога полустиха.

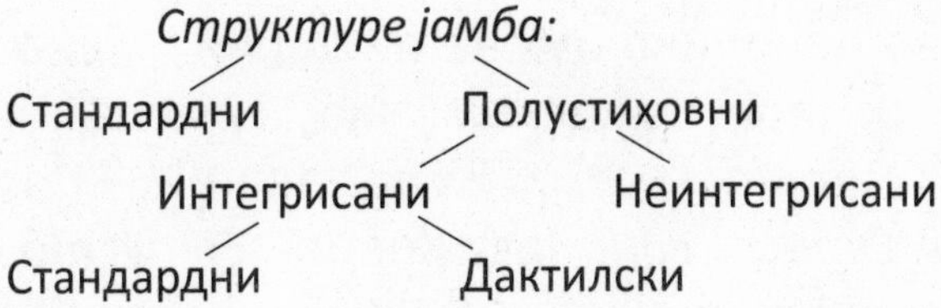

Структуре јамба:

Стандардни — Полустиховни

Полустиховни: Интегрисани — Неинтегрисани

Интегрисани: Стандардни — Дактилски

Стандардни јамб:

Једанаестерац, 5 + 6, из Дучићеве песме *Акорди:*(33)

Слȕшāм у ми́рнōј љȕбичастōј нȍћи

Ẋ **X̄̍** X **Ẋ** X || **Ẋ** X X̎ X **Ẋ** X

1 2 3 4 5 6 7 8 9 10 11

Где шу́ште зве́зде; и мѐни‿се чѝни

X **X̄̍** X **X̄̍** X ||X **Ẋ** **X̄̍** X **Ẋ** X

Десетерац, 5 + 5, из Дучићеве песме *Коб,* са потенцијалним дактилом на крају слогова:(34)

А вȅру мȍју цр̑ква ȕбила,

X **Ẋ** X **Ẋ** X || **X̄̍** X **Ẋ** X X

1 2 3 4 5 6 7 8 9 10

А мȍју су́мњу стра̏х залѐдио;

X **Ẋ** X **X̄** X || **Ẋ** X **Ẋ** X X

Полустиховни јамб:

Ево неколико имена писаца и имена песама написаних у полустиховном јамбу: Никола I Петровић Његош, *Онамо, `намо;* Ђура Јакшић, *Кроз поноћ нему...* и *Отац и син*; Лаза Костић, *Еј, пусто море!* и *Анђелијина песма;* Даница Марковић, *Marcia funebre;* Силвије Страхимир Крањчевић, *Eli! Eli! Lamā azâvtani?!* ; Милан Ћурчин, *Родољубива песма*, итд.

Три форме полустиховних јамбова: десетерци, 5+5:

Интегрисани:

X **Ẋ** X **Ẋ** X || X **Ẋ** X **Ẋ** (X)

X **Ẋ** X **Ẋ** X || X **Ẋ** X **Ẋ** (X)

1 2 3 4 5 1 2 3 4 5

Неинтегрисани:

X **Ẋ** X **Ẋ** X || X **Ẋ** X **Ẋ** X

X **Ẋ** X **Ẋ** X || **Ẋ** X X X X

1 2 3 4 5 1 2 3 4 5

Интегрисани дактил:

X **Ẋ** X **Ẋ** X || **Ẋ** X X **Ẋ** X

X **Ẋ** X **Ẋ** X || **Ẋ** X X **Ẋ** X

1 2 3 4 5 1 2 3 4 5

Примери:

Интегрисани полустиховни четрнаестерац

Стандардни, 7+7, из песме Силвија Страхимира Крањчевића, *Ели!, Ели! Ламâ азâвтани?!*:(35)

Прошéталȁ͜ се пóвјест у͜ срȁмотничкој хȁљи

X Ẋ X X͜X Ẋ X ‖ X͜Ẋ X X̏ X Ẋ X

1 2 3 4 5 6 7 1 2 3 4 5 6 7

И͜ штȍ͜ смо нȅбу блӣжӣ, све͜ ȍд͜ неба смо – дȁљӣ!

X͜X͜X Ẋ X Ẋ X ‖ X͜Ẋ͜X X̏ X Ẋ X

Крањчевић је узео почетак 22-ог псалма “Eli, Eli, Lama Sabachthani?”-- („Мој Боже, Мој Боже, зашто си ме напустио?“, које су биле и последње речи Христа пред смрт (Нови завет, Матеј 27: 46)) – за већи део метричке матрице своје песме. Поред назива песме, он је поновио те речи у три од 44 стиха, трећи пут у последњем стиху песме. Лаза Костић је слично урадио са метричким делом нагласака имена цркве “Santa Maria della Salute” у својој песми.

Јампско-дактилски полустиховни десетерац, 5+5: *Безимена песма-загонетка са уграђеним одговором (око цезуре) за мене непознатог песника,* NN: (Скинуто са интернета)

Ȕместо ȗма, цȋљ јој је сȕма:
Ȍчи су нȍге; брȍјеве мнȍгē
Пр̀стима свȋра: ȗм је што дȋрā.
Су́коба нêмā, кàдā зàдрēмā.
Нè прави бȕку—дáјēш јој рȗку:
Мòтор су пр̏сти, свȅ_знāње бр̀стӣ.

Ẋ X X **Ẋ** X || **Ẋ** X X **Ẋ** X
Ẋ X X **Ẋ** X || **Ẋ** X X **Ẋ** X̄
Ẋ X X **Ẋ** X̄ || X̄ X X **Ẋ** X̄
Ẋ X X **Ẋ** X̄ || **Ẋ** X **Ẋ** **Ẋ** X̄
Ẋ_X X **Ẋ** X || **Ẋ** X X **Ẋ** X
Ẋ X̄ X **Ẋ** X || **Ẋ** X̄ X **Ẋ** X̄
1 2 3 **4** 5 **1** 2 3 **4** 5

Први и четврти слог полустихова је иктусован. Само четврти полустих има узлазно-високу синкопацију. Одговор загонетке је цикцакиран.

Неинтегрисани полустиховни десетерац

Народна лирска песма, 5 + 5:

Не гра́ди пу́та кроз вѝће мѝје.
Претѐћи_ћу_те, ухва́тићу_те;
Вѝдићу тебе у мѝју зѐмљу
Где снêг нѐ_пада, кȉша нȉкадā,
Рѝса нам пȁдā, жȉто нам рâђā.

1 2 3 4 5 1 2 3 4 5
X **Ẋ̄** X **Ẋ̄** X ‖ X **Ẋ** X **Ẋ** X
X **Ẋ** X Ẍ X ‖ X **Ẋ̄** X Ẍ X
Ẋ **Ẋ̄** X **Ẋ** X ‖ X **Ẋ** X **Ẋ** X
X **Ẋ̄** **Ẋ** **Ẋ̄** X̄ ‖ **Ẋ** X **Ẋ** X X̄
Ẋ X X **Ẋ** X ‖ **Ẋ** X X Ẋ̄ X̄

У другом полустиху прва три стиха носе нагласак на другом слогу а последња два на првом слогу, што чини песму неитегрисаним полустиховним јамбом. У првом полустиху има две узлазно-високе синкопације обележене масним X-овима.

НАСТАВАК „НАРУШАВАЊА" МЕТРА

Од највећих вредности за метрику је остварени, текстуални ритам, а не 100% задовољен метрички ритам. Очигледно је да то не значи да нема правила, да нема тенденције у том смислу, тј. неке потребе да се испуне сва јака места кад до тога долази природно, али само испуњење није од примарне важности. Обавезно је да се испуни главни структурни костур стиха, тј. да се последње јако време стиха увек оствари --што чини главну константу у том смислу--и да се јаки слог стопе пред цезуром скоро увек оствари--што чини скоро-константу (доминанту) у том смислу. Другим речима, правилност и квалитет стиха не зависе од тога да ли су сви јаки слогови стиха испуњени или не; то није никаква догматична обавеза за доброг песника. Имплицитно правило је—ако тако може да се каже—да *се од песника-уметника очекује и да буде бољи уметник метрике него метрички техничар са испуњеним свим могућим јаким слоговима стиха*.(36) Такође, већина речи којима се песници служе обично имају од једног до пет слогова, а многе речи од четири и пет слогова имају и помоћни метрички нагласак под утицајем метричког импулса, што значи да се већина јаких слогова остварује већ сасвим природно. Један од разлога је и очекивање да се испуни довољан број јаких слогова стиха и тако омогући читаоцима или слушаоцима да у свом уму апстрахују, тј. створе модел очекиване метричке схеме, јамба или трохеја, да би могли да осете кад песник, тј. стих, одступи од ње и да искусе преварено очекивање појавом ирегуларне синкопације.

Кад метричари ММ врше метричке анализе песама, најчешћа тема којом се баве је „одступање од метра“, концепт за који имају доста синонима. Према њима—а што је потпуно нереално--испада као да и најбољи песници нису добри метричари, због чега за њих скоро и да нема метрички безгрешних песама написаних на српском. Којен каже да „немамо директног начина да проверимо да смо дошли управо до оних правила којих се придржавају песници...“(37) и да зато метричари мора да се ослањају на своју интуицију. Многострана неадекватност ММ је најбољи доказ да су метричари Београдског универзитета показали да немају довољно развијену интуицију јер нису успели да интуитивним путем кроз анализу песама открију језичко-метричко-музичку компетенцију песника. Што се метрике тиче, нема потребе да се метричар ослања само на интуицију ако он влада потребном теоријом метрике и пошто већ има огроман материјал за анализу, где му је на располагању све што је потребно да се апстрахује и успостави читав систем *пуне* српске двосложне метрике. Све „чињенице" за успостављање тог модела леже у песмама: оне се делом виде или чују, а делом се ментално осмишљавају--као на пример метричка правила--јер се из њих делимично изводе логични закључци уз употребу научих алатки и модела анализе.

У Предговору своје књиге „Огледи о поезији" Леон Којен каже да „Једна песма нема у начелу онолико значења колико се може наћи тумача спремних да је читају на дотле неиспитане начине. *Критичари и теоретичари који у ово верују унапред су осудили себе да у свакој песми налазе само оно што су у њу пројектовали*."(38) Претходна реченица (коју сам подвукао курзивом) такође се односи на Којенов доследни став према метричком моделу који заступа. Докази су скоро на већини страница његових текстова о српској двосложној метрици.

Коментаришући метрику трохејске песме Тина Ујевића, „Наше виле", 6+6, Којен(39) пише да је Ујевић имена „Сунча̀ница" и „Соко̀лица" „...очигледно наглашавао на првом слогу." Ако је ишта очигледно онда је да то не мора да буде тачно, али Којен нема избора јер је унапред осудио себе „да у свакој песми налази само оно што у њу пројектује." Којен зна да је Тин Ујевић одличан метричар и да не би правио такве грешке, тј. грешке према ММ, те је зато био принуђен да ствара непотребне хипотезе и оправдања—било да су они тачни или не--што је врло типично и често за метричаре ММ. У истој песми постоји и трећа реч,

„процвјѐташе", која такође „нарушава трохејски ритам", али Којен тој речи није пребацио нагласак и тон већ је правда речима да она чини ритам „разноврснијим и мање монотоним". Како је то могуће? Зар није то исто могло да се каже и за претходна два имена? За МП „акценат" те три речи нису грешке јер се на њиховом трећем слогу налази високи тон који се аутоматски активира да задовољи очекивани трохејски иктус у сва три случаја, чинећи ритам одговарајућих стихова далеко „разноврснијим и мање монотоним". Поред тога, иницијална стопа је ван метричких правила која се ондосе на стопе константе стиха. За прву стопу је неважно да ли је у трохеју наглашен други слог или у јамбу први, или оба или ниједан.

Непознавање синкопација наводи Којена да сваки пут кад их песници користе—што је за њега метричка грешка јер се наглашени узлазни тон налази на слабом слогу стиха--он даје своје коментаре, објашњења и оправдања. За једну реч Ујевићеве јампске песме (овде не комплетне) „Честитка за рођендан", I, 5+6:

Нико ми није рек'о твоје ѝме,
ни твоју тугу преко парка пу́ста,
али неизбрисив печат Хјерони́ме

бележи твоја идеална у́ста,
и не знам име, и не знам *пре́зиме*,
ал' познам бопштво усред храма пу́ста.

Којен пише: "Међутим, смисаона тежина коју (...) има реч 'пре́зиме' не би се у стиху могла осетити с таквом снагом да није истовремено истакнута прекорачењем метричке норме. Повреда ритма због њеног акцента који пада на девети слог једанаестерца је неоспорна, али у исти мах схватамо да је она ту у служби смисла, па је њен ефекат у великој мери ублажен, а у сваком случају га доживљавамо другачије него тамо где нема сличне спреге између метра и значења."(40) Иако је врло јасно на основу других примера у Ујевићевим песмама да он активира једну од синкопација кад год му је то потребно, што чини и у овом случају са узлазно-високом синкопацијом користећи реч „пре́зиме", **Х Х** Х, те зато у датом стиху за Ујевића нема „прекорачења метричке норме" и „повреде ритма", Којен је принуђен да даје своја неоправдана објашњења за непостојеће проблеме. Из горњих коментара се види, да је за МП и та Ујевићева песма одлична јампска песма без икаквог прекорачења јер је у складу са одговарајућим правилима која не захтевају никакве опаске. Поставља се питање, Како је могуће да Којенова интуиција (јер је и она основа на коју се он ослања у својим анализама)—као и интуиција његових истомишљеника--није у стању да им омогући да виде хиљаде сличних примера у народним песмама и песмама најбољих индивидуалних песника у току последњих више од сто педесетак година и да им помогне да извуку закључак да су ти песници далеко бољи метричари него што их они сматрају (а тиме, нажалост, и имплицитно вређају), да песници не праве такве почетничке грешке, и да је синкопација једна од најкориснијих прозодијско-метричких иновација новоштокавског двосложног метра.

Концепт *симетрије и понављања* функционише и синтагматски (хоризонтално) и парадигматски (вертикално). Риме су добар пример парадигматских односа делова речи у песмама. Кад Тин Ујевић у „трагичном сонету“ из циклуса „Колајна“ римује речи „бићу“ и „Ујевй̈ћу“, рима –ићу у обе речи задовољава и потребе чисте риме и потпуно правилно испуњава последњи слог јаког времена стиха, јер се у речи „Ујевй̈ћу“ аутоматски, тј. према метричком правилу, појављује метрички помоћни нагласак да то учини. Којен пише: „... а у једном случају на крају стиха имамо „празну стопу“, која овде представља експресивно одступање од метра, оправдано семантичким разлозима (Ујевићу).“(41) Идеја из „семантичких разлога“ врло је важна у метрици такође, али у овом случају није активирана, јер то презиме носи помоћни нагласак метричког правила, што чини сонет метрички перфектним, наиме, ни једна крајна стопа му није празна.

У Ујевићевом завршном сонету циклуса „Сањарија“, у трећој строфи је реч-рима „Меланхо̀лије“. Којен наглашава реч „Мела̀нхолије“ кратко-узлазним акцентом на другом слогу.(42) Стандардни нагласак је на трећем слогу. Очигледно је да га је Ујевић користио да активира високи тон на четвртом слогу речи да обогати ритам стиха и песме додатном синкопацијом. Којенова тврдња да у том сонету има пет „празних стопа“ не одговара правилима МП, јер се у њему јављају и четири помоћна нагласка да испуне последње јако време стихова. И тај Ујевићев сонет је метрички перфектан трохеј.

Којен пише за Ујевића, „Од силабичких правила српског стиха одступа само један стих из Лелека себра: *И да се плаче, и да се вера рекне* („Молитва богомољца за рабу божју Дору Ремебот“, IV), због синалефе на цезури. У склопу Ујевићеве версификације у Лелеку себра и Колајни тај стих се мора схватити као експресивно прекорачење метричке норме.“(43) Горњем стиху није потребно никакво објашњење: то што Којен сматра „експресивним прекорачењем“ у ствари је неутрализовано правилом *симетрије и понављања*, што се одмах види у: „и да се..., и да се...“. То правило надвладава сва друга правила версификације и оставља стих 100% правилним, укључујући и премошћавање цезуре. У датом стиху, дакле, нема нарушавања норме. Следе још два интересантна примера истог правила.

У трохејском сонету „Звезде“, 6+6, Дучић је употребио један врло редак али и високо квалитетан пример симетрије и понављања у осмом стиху:

„Ȍчи пу̀не звéзда̄ и ýста стѝхова.“

X̍ X X̍ X X̄̍ X̄ || X X̄̍ X **X̍** **X̄̍** X
1 2 3 4 5 6 7 8 9 10 11 12

где реч „ýста“ с површинске тачке гледишта нарушава метар, али са нешто дубинскије тачке лако се види да је у питању симетрија и понављање: „Очи пуне звезда и уста (пуна) стихова.“, тј. да је метричка схема неутралисана менталним понављањем“ речи „пуна“. Стих је други од два централна стиха песме, пун сликовитог емоционално-метафоричког набоја: очи су звезде а уста су стихови који љубе звезде, и јунак песме, дупло индексички љуби звезде преко очију драге и кроз своје стихове. 10. и 11. слог оформљују узлазно-високу синкопацију. (Седми стих, први централни стих песме који претходи горе наведеном је: *„Ја јој љубљах цело ово вече јасно“*).(44)

Пример истог правила плус „моста“ имамо у Ракићевој песми „Минаре“, јампском једанаестерцу, 5 + 6, у трећем, „дванаестосложном“ стиху:(45)

„Као дâн јȁсна нôћ и као дâн врýћа,“

X X X̄ **X̍** X X̄̍ X X X X̄ **X̄̍** X

1 2 3 4 5 || 6 7 8 9 10 11

Због речи „ноћ“--која премошћује и неутралише цезуру—могуће је применити то правило: „као дан“ јавља се два пута. Кад се реч „јасна“ на четвртом слогу нагласи јаче—што се и очекује—онда се добија нови остварени ритам, нарочито ако се исто тако јаче нагласи и последња реч стиха. Пошто се то једном схвати, нема захтева ни за каквим даљим коментаром. У датом стиху нема нарушавања норме. Има разлога, међутим, *да се „премошћавање“, тј. негирање цезуре виртуелним слогом у српској двосложној метрици, прихвати као једно од правила*, јер га користе и други песници. На пример, Лаза Костић у „Santa Maria della Salute“ то чини четири пута. Тај „мост“ уместо цезуре спаја два полустиха без да метрички додаје слог стиху. То је један од поетских поступака инвентивних песника МП.

Тврдња неких водећих руских теоретичара везане поезије—које је некритички прихватио и

Тарановски—да је компоновање песама „насиље над језиком", благо речено, неукусно је. Зар нису могли да кажу да је писање песама једна врста моделовања језика за нарочите сврхе, рецимо семантичке, поетске, метричке, естетске, музичке сврхе, чији резултат дефинитивно ту и тамо мора да одступа од неких, најчешће синтаксичких правила. Тарановски(46) даје и метричку статистичку анализу свих Ракићевих трохејских стихова:

	1	2	3	4	5	6	7	8	9	10	1	12
ММ:	**53,7**	**42,9**	**38,3**	**4.2**	**91,9**	**0,0**	**57.2**	**36,5**	**37,5**	**2.7**	**97,6**	**0,0**

Горња статистика нам каже да се очекује да Ракићеве песме имају доста метричких грешака. Чињеница је да према пуном моделу српске досложне метрике његове песме скоро да немају ни једну грешку: кад се узме у обзир да је прва стопа метрички слободна, онда се статистика другог слога не убраја међу грешке. Што се тиче осталих парних слогова, кад се на њима појави наглашени, тј. контурни тон, то песник углавном чини да иктусом на следећем јаком слогу равног тона активира синкопацију. Репрезентативни пример за Ракића је и његова трохејска песма „Наслеђе", наведена ниже. Она садржи у првом полустиху осам узлазно-високих синкопација и две силазно-ниске, а у другом полустиху десет узлазно-високих и једну силазно-ниску синкопацију. Ту већ имамо двадесет једну „грешку" мање, што би потенцијално скоро неутралисало статистику Тарановског на парним слоговима стихова.

Ја̂ о̀сећа̄м да̀нас да у мѐни тѐче̄
Кр̂в прѐда̄ка̄ мо̀јӣх, ју̏на̄чкӣх и гру̂бӣх,
И разу̏ме̄м до̀бро, у̏ то му̂тно вѐче̄,
За̏што бо̂јне и̏гре у дѐтӣњству љу́бих.

И прѐзире̄м ту́гу, забо̀ра̄вља̄м бо́љу,
Јер у мѐни тѐче̄ кр̂в прѐда̄ка̄ мо̀јӣ`,
Му̏ченӣка̄ ста̂рӣх и јуна́ка̄ ко̀јӣ
У̀мира̏ху ћу̀тке̄ на стра́шноме ко̂љу.

Јѐст, ја̂ сам се ду̏го са при́родом хр̀в`о̄,
У̀спео̏ сам – свѐ се мо̏же̄ кад се хо̏ће –
Да на о̀во̄ ста̂ро̄ и̏‿суро̏во̄ др̏во
Нака̀лемӣм на̏јза̄д благо̀родно̄ во̏ће.

И са̏д, а̏ко пла̏че̄м кад се мѐсе̄ц кре̂не̄
С орео́лом мо̏дрӣм низ нѐбесне̄ пу́те,
Ил` кад ста̂ре шу̏ме, ча̏робне̄ сире́не,
Ѐдно ту̂жно̄ вѐче зло̏ко̄бно заћу́те̄.

Ја̂ о̀сећа̄м и̏па̄к, и̏спод свѐжих гра́на̄
И ка̀лема но̏вӣх, да, к`о нѐкад ја́ка,
У ко̀рену ста̂ро̄м стру́јӣ сна̂жна̄ хра́на,
Неисцрпна крѐпо̄ст стари̏нскӣх јуна̀ка̄.

Све и̏шчезне та̀да. Забо̀рављам бо́љу,
А прѐда̄ ме ста̏ју ре̂дом прѐци мо̀јӣ,
Му̏чени̏ци ста̂ри, и јуна́ци ко̀јӣ
У̀мира̏ху ћу̀тке̄ на стра́шноме ко̂љу.

Пошто су пет метричких помоћних нагласака песме део метричких правила МП, остаје само један „проблем“:

„Да на ово ста̑ро и су̏рово дрво“

X‿X‿X́ X X̏ X ‖ X́‿X X̏ X X́ X

1 2 3 4 5 6 7 8 9 10 11 12

где за „и су̏рово“ има два могућа решења: прво је да се предпостави—јер се ради о већ споменутом проблему српске двосложне метрике због природе краткосилазног и краткоузлазног тона—да песник у овом случају третира краткосилазни као да је краткоузлазни, те зато проблем и не постоји; друго је, да је песник створио проклитичку групу пребацивши нагласак и тон са „сурово“ на клитику-свезицу „и“, чиме је остварио и помоћни метрички нагласак да активира девети јаки слог стиха. *Резултати анализе нам кажу да су природа иницијалне стопе, синкопације и метрички помоћни нагласак главни узроци разлика између ММ и МП*. Ракићева песма „Наслеђе“ је 100% метрички правилна. Зачуђујуће је да Тарановски није извукао логичне закључке из дистрибуције речи са узлазним тоном у Ракићевим песмама. Свако ко би погледао *вертикалне положаје остварених јаких слогова речи свих његових песама*, лако би могао да јасно види њихов метрички распоред, што тера читаоца да се пита: „Да ли је могуће да би један одличан песник, са неоспорно високом метричком компетенцијом као што је Ракић, могао да прави толико грешака?“ Очигледно да није.

Дуговладајући ММ има негативних последица за српску културу. Споменућу једну од њих: Страни специјалисти који пишу и о српској метрици користе се информацијама домаћих специјалиста. 1996 године штампана је на енглеском књига--превод са руског—A HISTORY OF EUROPEAN VERSIFICATION (*Историја европске версификације),* чија цена је била 460 канадских долара. Судећи по цени, мора да се претпостави да је у питању изузетно квалитетна књига. Нажалост, кад је у питању српска двосложна метрика представљена у тој књизи, она садржи исте грешке које праве и српски метричари. Писац књиге, М. Л. Гаспаров(47) у Библиографији коришћених текстова за српску метрику, навео је радове К. Тарановског, између осталих и његов рад „Принципи српскохрватске версификације“, *Прилози за књижевност, језик, историју и фолклор,* 20 (1954); затим С. Петровића, *Облик и смисао*: *списи о стиху* (Београд, 1986), и Ж. Ружића, *Српски јамб и народна метрика* (Београд, 1975). Ево кратког примера мишљења о двосложној метрици та три професора српске версификације: Пишући о српскохрватском стиху, Тарановски каже да „Нагласак на непарним слоговима сведочи о тенденцији ка трохејској пулсацији ритма“ и да „Нагласци на другом и осмом слогу показују снагу амфибрашког покрета.“(46, стр. 194); Петровић сматра да српска двосложна метрика није силабичко-тонска већ само силабичка, док за Ружића српска двосложна метрика показује само тенденцију за трохеј и јамб, и да у јамбу постоји само стандардна форма са цезуром без полустиховних. Значи да је М. Л. Гаспаров дао нетачне информације другим специјалистима о српској двосложној метрици.

Следећи коментар Гаспарова о метричким системима је од нарочитог интереса за новоштокавску метрику: „Али није било ни једне поетске традиције у којој су певане песме припадале једном ситему версификације, а говорне другој."(48) Да ли је српска поетска традиција певаних песама била и остала изузетак горњег опажања? Да ли је довољно за неслагање са горњим коменатром да само МП садржи синкопације, најмузичкији део за певање, а ММ не садржи, те да би зато требало да их сматрамо различитим системима? Иако метричари сматрају ММ независним и самосвојним метричким системом, *он је само један од два подсистема пуног система МП*.

Новица Петковић, један од теоретичара српске метрике, каже да је „...проценат остварења трохејске схеме много мањи у српскохрватском стиху него у руском, како то показују детаљна испитивања Кирила Тарановског". (49) И та тврдња није тачна, јер кад се узму у обзир прозодијске јединице и метричка правила која песници користе--неке од којих и он као присталица ММ не зна--српски трохеј—као и јамб--нису мање остварени него руски. То је могуће лако установити и доказати.

Тешићева амфибрашка песма, „Калопера Пера", у исто време је и трохејска песма за МП (бар у прва 42 стиха која сам прегледао).(50) Површна анализа те песме од 24 строфе и 172 стиха даје следеће резултате: У њој нема вишесложних речи које почињу са силазним тоном на почетку стиха (јер би то протвуречило њиховом не признавању специфичне природе иницијалне стопе стиха), а уместо њих су на почетном положају стиха вишесложне речи на којима је нагласак на другом слогу, што углавном доприноси монотонији датих стихова кад се чита према ММ. Анализа прве четвртине песме с тачке гледишта МП утврђује такође задовољавајући трохеј. Кад се чита као трохеј, песма садржи велики број синкопација и самим тим велики број испуњених преварених очекивања.

Једна ствар је очигледна: МП је економичнији, богатији је прозодијским јединицама и правилима, оригиналнији је; богатији је ритмовима те зато ближи музици; такође, песме пуног модела су мање монотоне и интересантније су за слушаоце и читаоце, али то не значи да их је лакше компоновати, јер захтевају веће метричко и друго знање, дубљу језичко-метричку и музичку компетенцију, више труда, веће искуство и таленат песника у метричком смислу. Свако ко полако прочита обе верзије са добром дикцијом, добрим осећањем прозодијских јединица, тј. нагласака и дужина свих седам тонова, нарочито са обраћањем пажње на изговор високог тона са разумевањем за процес комбиновања тонова у стиховима, очекује се да би стао на страну МП; затим, ко цени комплексност остварених ритмова и схвата важност превареног очекивања као и ритмичко-музичку функцију контурно-равних синкопација, онда се избор сам намеће.

За боље разумевање основних разлика између ММ и МП, Тешићева збирка песама *Млинско коло* је врло илустративна.(51) Да је песник написао само ту збирку, представници ММ требало би да је хвале као изузетно успелу, и уметнички и метрички, због експертски уграђене монотоније, која треба да метафорички подсећа на монотонију звукова млинског точка: четири или шест нагласака са довољно сличним интервалима у свим стиховима. Тој монотонији, поред скоро ексклузивног коришћења нагласка на јаким слоговима амфибрашких песама, у многоме је допринео и песников избор речи. Међутим, са тачке гледишта МП, узевши у обзир чињеницу да се Тешићеве амфибрашке песме могу да читају и као трохејске кад се активира високи тон—те песме не само да нису монотоне, већ су, напротив, препуне богатим текстуалним ритмовима. Другим речима, гледајући из перспективе МП, Тешић није успео да имитира ритам воденичког „кола“.

Исто као што неки композитори музике све више налазе разне начине да из естетских разлога избегну сувишно понављање очекиваних метричких пулсева, тј. монотонију, користећи функцију превареног очекивања, и добри песници знају како да чине то исто. Једна ствар је ту јасна: лакше је остварити квалитетнија и разноврснија преварена очекивања са више активних прозодијских јединица МП него мањег броја у ММ. Метричка употреба нагласака, обе дужине, свих седам тонова, а нарочито високог и ниског, пружају песнику МП богатији избор за компоновање и за испуњавање очекиваних иктуса и превареног очекивања са мање монотоније.

Кад се не верује песницима већ лошем метричком моделу као што је ММ, онда није ни чудо да Новица

Петковић каже да има „велики проценат одступања од метричке схеме у десетерцу.“ Он наводи епски десетерачки стих,

„Хра̑ни ма̑јка два̑ нѐја̄ка си̑на“,

Х Х Х Х || Х **Х** **Х** Х Х Х

1 2 3 4 5 6 7 8 9 10

и каже да је „атонирање проведено“ у речи „нејака“,(52). МП очекује да се слогови оба тона дате синкопације--које су Петковићу непознате--изговоре са већим интензитетом и наглашеног и иктусованог слога, чиме се природно продужују и тонови. У МП не постоји правило да се наглашени слог синкопације „атонира“. Напротив, преварено очекивање у овом контексту се добија појачавањем изговора, и дугог силазног и дугог ниског тона.

За следећи десетерчки епски стих Петковић погрешно каже(53) да има два „неметричка иктуса“:

„Засу̑́кала до бе̑лӣ лака́та̄“.

а) Х **Х** **Х** Х Х **Х** **Х** Х Х Х или

б) Х **Х** **Х** Х Х Х̄ Х Х Х̄ Х

1 2 3 4 5 6 7 8 9 10

Високи тон на претпоследњем слогу речи „засу̑́кала“ задовољава очекивани иктус јер аутоматски узима потребну мору од следећег слога, формирајући узлазно-високу синкопацију, а дужина на последњем слогу речи „бе̑лӣ“ правилно прима иктус седмог јаког слога стиха, остварујући силазно-ниску синкопацију.

Друга могућност, под б), каже да на пети слог могу да са пребаце нагласак и тон, али без активирања синкопације. Значи да стих нема ни једну грешку.

Асиметрични десетерац је наследио већи део своје метрике од српских народних лирских песама, које су биле основа на којој је он поново изграђен. Народни песници су иницирали потребу за стварањем новоштокавског дијалекта у време када у народу није ни било индивидуалних, „уметничких“ песника у окупираном делу Србије, а обнављање епског десетерца после појаве новоштокавских лирских песама дошло је нешто касније. Већина одступања од трохејског метра у епском десетерцу углавном лежи у пореклу неких стваралаца који или нису усвојили српски језик као деца, или иако су га усвојили никада нису развили задовољавајућу језичко-метричку компетенцију за њихово компоновање. Треба обратити пажњу да народне женске песме имају изузетно мали проценат нарушавања метричких схема. Разлог за то је да су њих стварали они који су усвајали језик од рођења и активно га користили и у певању од најмлађих дана. Кад се српски језик научи после пубертета, тешко се усвајају његове богате прозодијске јединице речи. Тиме може да се на најприроднији начин објасни највећи део метричких грешака епског десетерца. Кад се, дакле, одбију метричке грешке тог порекла заједно са грешкама метричара ММ, онда има разлога да се каже да је метрички квалитет епских десетераца углавном исти као и лирских народних песама и песама најбољих индивидуалних песника последњих двеста година.

Закључак води ка тврдњи да је модел двосложне метрике народног песништва изворан, а да су песме индивидуалних песника—као и њихова метрика—засновани на народној традицији уграђеној у МП и у врло малом степену копирани са стране. Још једном, покретачи промене староштокавског у новоштокавски били су несумњиво народни песници, пре свега младе жене, које су нормално најчешће и стварале лирске песме и певале их, и индивидуално и групно. Из те традиције су изашли и српски „уметнички" песници.

КЛИТИЧКА ГРУПА (АКЦЕНАТСКА ЦЕЛИНА)

Клитичка група је комбинација клитике или неких других функционалних ненаглашених речи најчешће са значењским речима. Она је „метричка реч" која се ствара у акцији компоновања унутар стихова у датом временском линеарном контексту и има ширу функцију у песмама двосложне метрике него у нормалном говору стандардног књижевног језика. У српском језику постоје правила комбиновања, на пример, предлога, ненаглашене заменице или глаголске форме, одречне речце „не" или свезице са значењским речима, или клитика са клитикама. Клитичка група као и значењска реч има увек само један главни нагласак, с тим што нагласак и одговарајући тон прелазе на проклитику, а енклитика у новоствореној енклитичкој групи даје—кадгод је потребно--једноморном високом тону једну мору да би могла да се метрички активира. У проклитицизацији, дакле, нагласак и тон скачу са значењске речи на клитику, а у енклитицизацији има две варијанте: скакање једне море на лево се врши или са клитике или са значењске речи која има силазни тон. Песници су раширили метричке употребне могућности клитичких група у односу на стандардна језичка правила, што метричари--као и лингвисти--морају да узму у обзир. На пример, свака везица „и“ која следи реч у стиху са високим тоном на последњем кратком слогу, постаје део енклитичке групе, те тако омогућује високом тону да се спари са иктусом. То се дешава у сва три следећа случаја: кад „и“ директно следи реч, кад су растављени зарезом и кад су растављени тачком-зарезом. Метрика има своје „уметничко-метричке“ резоне који привилегују речи стихова и игноришу неке више језичке структуре, као и неке конвенције интерпункције. На пример, у Дучићевој трохејској песми „Јабланови“,(54) 6+6, у четвртом стиху прве од четири катренске строфе, свезица „и“ активира високи тон два пута:

„Далѐкẹ и црне, ко слу́тњẹ; и снови“
X **Ẋ** **X̄**‿X X X X **Ẋ** **X̄**‿X X X X
1 2 3 4 5 6 7 8 9 10 11 12

где се „далеке и“ спајају у енклитичку групу „далекеи“ кадгод је нагласак значењске речи на претпоследњем слогу да би њен високи једноморни тон могао да задовољи иктус. У другом полустиху група „слутње; и“ се трансформише у „слутњеи“ и поред тога што су реч „слутње“ и свезица „и“ раздељене тачком-зарезом и што „и“ јасно припада следећој реченици. Нема сумње да је одговарајуће метричко правило и шире и обухватније у метрици него у језику. Метрика има свој систем и своја правила која се некад не подударају са правилима језика. То нам опет доказује доминантну метричку регулативну функцију речи и прозодијских обележја у везаном стиху. (Метричарима ММ то није познато.)

Следи пример са проклитичком групом из Ракићеве трохејске песме „Кондир",(55) 6+6, трећи стих,

„Пре но овај стигне ӥ гром страшни прасне",
X X X X X X || X‿X X X X X
1 2 3 4 5 6 7 8 9 10 11 12

садржи „и гр̏ом", где прелаз наглашеног краткосилазног тона са речи „гр̏ом" на везицу „ӥ" чини стихове метричким.

Дучићев „Јутрењи сонет", трохеј, 6+6, у једанаестом стиху после цезуре има полустих

нестр̀пљив шу̑м ва̑ла.
|| X X X‿X X X
7 8 9 10 11 12

са синтагмом „нестр̀пљив шу̑м", чија једносложна реч на слабом, десетом слогу је дуга. И овде имамо два избора: или да сматрамо да је то метричка грешка због кратког узлазног тона на осмом слогу или да девети иктусовани слог према правилу узме једну мору речи „шу̑м", удруживши се с њом у *„акценатску целину"*, у овом случају, „нестр̀пљив‿шӯм", да омогући деветом слогу да активира високи тон. Кад би била дужина на последњем слогу речи „нестрпљив", онда би она по правилу испунила иктус.(56) Процес „скакања" нагласка и тона у проклитичкој групи, као и море у енклитичкој, увек се одиграва здесна на лево.

Исту врсту синкопације имамо и у 136-ом, претпоследњем стиху другог полустиха асиметричног десетерца народне песме „Косовка девојка“:

за зѐлен бо̂р `ватим
‖X‿Ẋ Ẋ‿X̄ X X
5 6 7 8 9 10

X-ови у горњим полустиховима—као и у свим осталим песмама у стиховима са кратким високим тоном у истој ситуацији—*увек представљају само дати временски моменат певања или рецитовања*. Још један пример доказа да је двосложна метрика народних и индивидуалних песника једна и иста.

САРАДЊА МЕТРИКЕ И ПОЕТСКИХ ПОСТУПАКА

Многи песници који пишу на српском често су и велики уметници. Они су успевали да постигну завидне висине захваљујући не само себи већ и томе што припадају једној старој песничкој традицији, и народној и индивидуалној. Српски народни епски и лирски опус и по количини и по квалитету убраја се међу врхунска уметничка достигнућа у свету. Индивидуално песништво је често деривативно али у већини случајева је и оригинално и одличног квалитета. Да су се у српској књижевној критици развили добри специјалисти, теоретичари и нарочито аналитичари песама, и структуре и садржаја, који би били у стању да указују на квалитете и „недостатке" песама о којима пишу на један зналачки и објективан начин, било би више песника свих врста и још бољег квалитета. Таквих критичара скоро и да није било и још их има врло мало међу Србима. Од оних који су успешнији само су специјалисти у књижевној историји, и прозној и песничкој. Није изненађење да поједини историчар књижевности да себи право да сам решава шта је добро а шта није у појединим песмама, чак и најбољим. Ако је он притом и антологичар, онда може да се очекује од њега да избогаљи неке песме, што и бива. На пример, Божидар Ковачевић је у свом *Зборнику лирике српске и хрватске*, ПАРНАС, између осталих, избацио другу *и последњу строфу*—просто невероватно!—из Костићеве песме „*Santa Maria della Salute*". Ево како је он правдао тај свој чин: „Вршећи ова скраћења, састављач се поводио за опште примљеним и допуштеним обичајима који су досад владали у свима књижевностима приликом састављања оваквих зборника. Ипак, сматрајући да су ова три наведена испуштања најважнија јер се тичу особито лепих песама највећих наших песника, донели смо их овде да би читаоци и сами могли ценити да ли ови испуштени стихови смањују лепоту ових песама."(57) Поред споменутих Костићевих примера, друга два „испуштања" су два стиха Јакшићевог „Пута у Горњак" и једна строфа од четири стиха Шантићевог „Предпразничког вечера". Иронија је да баш последња строфа омогућује да се *Santa Maria della Salute* уброји међу светске врхунске песме по свим критеријумима, укључујући и њену естетску вредност и оригиналност. Сматрам да је SMdS најуметничкија српска песма и да нема лепше, квалитетније и драматичније трагичне љубавне песме те величине и дужине са таквом кодом ни на ком другом језику. Изузетно важну улогу у њој играју поетски поступци. Следи кратка анализа те песме, с концентрацијом на *необележене и обележене јединице, структуре и функције њених поетских поступака*.

Скоро све јединице, структуре и функције саставних делова сваке песме подлежу процесу обележености. Лаза Костић је био свестан тих могућности, знао је како да се послужи њима на оригиналан начин, и то врло успешно. Није ми познато да је иједан српски критичар и аналитичар песама двосложне метрике обратио довољно пажње на Костићеве поетске поступке. Специјалисти говоре да је Santa Maria della Salute најлепша српска љубавна песма, али нико још није установио прецизно метрику те песме нити анализирао и донекле објаснио значења његових обележених поетских поступака. Неколико њих носе додатна, нова значења која нису споменута језиком, тј. значењима речи песме. Представићу укратко само главне од њих.

–Песма има 14 *строфа* од којих су две обележене: шеста строфа уместо очекиваних осам стихова има девет, а последња, четрнаеста има 16 стихова.

–*Метричка структура* песме је у већем делу заснована на нагласцима италијанских речи имена венецијанске цркве *Santa Maria della Salute*, чији назив такође служи и као *рефрен* свих 14 строфа, а и више од тога.

–Песма има 121 с*тих, а сваки необележени стих* се састоји од десет слогова са женском римом и девет слогова са мушком римом, и *цезуром* после петог слога. Четири стиха (пети, осамдесети, деведесети и сто четврти) су *обележени*, јер имају по један слог више, али на потпуно нови начин: тај слог се подудара са цезуром у сва четири случаја, тј. замењује је, и зато не носи свој број слога стиха, што потврђује и оправдава метричка структура споменутих стихова пре и после цезуре. Улога тог „слога" у песми је да неутралише паузу и повеже два полустиха функцијом *„моста"*, спајајући их у једну метричко-поетску целину. Идеја сједињавања два полустиха најбоље је изражена деведесетим стихом: „У нас је све ко у мужа и жене." где друго „у" ствара тај мост. Споменути стих оправдава функцију моста и у остала три стиха. Могуће је да је „мост" као *обележени* поетски поступак важна новѝна коју је Костић унео у двосложну метрику (ако је он његов стваралац).

–Слогови, стих и метрика: Природа иницијалне стопе стиха оправдава појаву двадесетак неочекиваних иктуса на другом слогу стихова у односу на задату метричку схему уграђену у називу песме. Костић је добро знао да иницијална стопа двосложног стиха надјачава сва друга правила, да је једина обележена у сваком стиху, и да је она таква каква је из више разлога, а један од њих је да омогући песнику богатији и лакши избор речи при компоновању песама. Њена скоро перфектна метричка руктура може уопштено да се представи на овај начин:

[**Ẋ**] [**Ẋ**] X **Ẋ** X || **Ẋ** X X **Ẋ** (X)
1 2 3 4 5 6 7 8 9 10

и у четири примера са мостом:

[**Ẋ**] [**Ẋ**] X **Ẋ** X (!) **Ẋ** X X **Ẋ** (X)

У контексту ове песме, ускличник (!) означава „мост" уместо цезуре у споменута четири случаја, а [Ẋ] да први или други слог стиха, или оба, могу да буду наглашени или ненаглашени; (X) представља алтернацију женских са мушким римама у првих шест стихова строфа, док се последња два стиха строфа завршавају паровима женских рима, *изузев у шестој строфи у коју је убачен додатни девети, маркирани стих са женском римом*:

„—сву вечност за те, дивни трренуте!
Santa Maria della Salute."

Убачени стих као да је због свог садржаја узет из последње строфе и пресађен у шесту строфу као индексички знак да припреми читаоца на величанствени завршетак.

Santa Maria della Salute уграђено је у песму тродупло: као главни део метричке матрице целе песме, као рефрен на крају свих четрнаест строфа и као духовни водич све до седмог стиха последње строфе. Пошто име песме садржи по дактил—**Ẋ** X X--на почетку полустихова, очекивало би се да ће песник следити његову метрику, али Костић то није учинио. Он је сачувао само други дактил, који се понавља у свим стиховима у слоговима 6, 7 и 8. Јасно је да је песник хтео да напише песму двосложне метрике, а не тросложне, са једним дактилским стубом да сачува колико је могуће ритам имена песме. Метричка слобода иницијалне стопе дала је песнику могућност далеко већег избора речи и значења, што је за њега било од велике важности. Следећа два стиха илуструју део метричке структуре песме:

А на̏ша дѐца пѐсме су мо̀је,
X **Ẋ** X **Ẋ** X **Ẋ** X X **Ẋ** X
1 2 3 4 5 **6 7 8** 9 10

Тꙇ̑х са̀ста̄на̄ка вѐчитӣ тра̑г;
Ẍ **Ẋ** X **Ẍ** X **Ẋ** X X **Ẍ**
1 2 3 4 5 **6 7 8** 9

Масни бројеви илуструју дактилски стуб песме. У првом стиху нагласак је на другом слогу а у другом стиху на оба.

Последња строфа песме са 16 стихова је најпоетичнија, и значењски и метрички и по богатству поетских поступака. Првих шест стихова алтернирају женске риме са мушким, као и у свим строфама. Али, у седмом стиху који остаје десетерачки, неочекивано се јавља мушка рима на крају, и то последњи пут. Овако изгледају четири стиха последње строфе од 6 до 9:

6 Из бѐзњенӣце у ра̑ј, у ра̑ј!
7 У ра̑ј, у ра̑ј, у њѐзин за̏грља̄ј!
8 Све ће се жѐље ту да про̀буде,
9 ду́шине жѝце све да прогу́де,

Ови стихови представљају врхунски прелом песме из шестог у седми стих, из митолошког раја у „рај“ њеног загрљаја, маркиране последње мушке риме, која симболише и представља промену стања постојања, двојства у јединство, на путу из нашег дела космоса у честицу васионске стваралачке енергије, основног пола израженог женским римама, девет од њих, укључујући и рефрен, који на крају значи само то, рефрен.

Неочекивано и значајно је такође да читава песма садржи четири „моста“ и има само четири синкопације, узлазно-високу у претпоследњој строфи и три у последњој, две од којих су на крају осмог и десетог стиха, прво узлазно-висока па *јединa силазно-ниска*.

Моћни пети стих последње строфе,

Из ниш**та̀ви́**ла у̏‿славу сла̂ва̄,

добија још већу снагу узлазно-високом синкопацијом баш због тога што су оне тако ретке у SMdS и што су повезане са крајњим делом песме, магичним и непоновљивим крешчендом коде.

ЗАКЉУЧАК

Позната Вукова тврдња из 1824. године--да су српски епски десетерци трохеји кад се певају, а да нису кад се говоре, и са два свесно изабрана најкориснија стиха наведена за доказе--били су инспирација и кључ за остварење овог рада. Горњим актима Вук је позвао на метричку гозбу и домаће и стране специјалисте, али нажалост нико се никада није појавио. А Вук је показао да када се други од два суседна тона речи подудара са јаким слогом стиха да се према метричком правилу активира једна од синкопација, музички део стиха, који у певању игра важну улогу остварења превареног очекивања, и у исто време служи као потврда да је у питању—у датом случају—чисти трохеј. У свакидашњем изговору речи нема синкопација.

Горњи коментари су потврда да је Вук поседовао не само интуитивну језичко-метричко-музичку кмпетенцију, већ и да је избором своја два примера стиха свесно знао што други метричари нису знали.

Срски народни и индивидуални песници уградили су у пуни метрички модел неколико важних новина која могу да имају последица и за метричке системе неких других језика. На пример:

1. Природа и функције иницијалне стопе омогућавају песницима коришћење много већег броја речи—што омогућава и брже компоновање песама--него што то могу према постојећем правилу.
2. Структура и функције неколико разноврсних језичких и метричких јединица показују „породичну сличност" и све имају *слог* за своју протоструктуру.
3. Симетрично-паралелно понављање делова стиха или стихова у непосредној близини може да се користи у свим метричким системима без нарушавања метра.
4. Као последица правила под 1., такозвана „трохејска инверзија" постала је непостојећи концепт.
5. У јамбу као маркираном метру у односу на трохеј, други полустих у сваком силбичко-тонском метру може да има три додатне форме.
6. Српски песници су обогатили број поетских поступака, најоригиналнији од којих је „мост", који замењује цезуру без додатка новог слога стиху;
7. Нема смањења снаге нагласка контурних тонова у активираној синкопацији.
8. Нема „празне стопе" у последњем јаком слогу стиха.

ПРЕДЛОГ:

Пошто прозодија српских речи има и активне мôре, љубитељи хаику поезије--укључујући и ђаке у школама—могли би да почну да пишу тростиховне хаику песме, 5 + 7 + 5, користећи или само море—што чине Јапанци—или комбиноване са слоговима, што би била новина у песничкој хаику традицији, или само у слоговима. Речник са колонама речи од једне море до седам мора алфабетски уређен био би добродошао сваком старом и новом хаику песнику.

Наводим три јапанске хаику песме преведене са енглеског и три моје. Само активни двоморни слогови речи носе дијакритичке знаке.

Метричка правила за српску хаику поезију: први и трећи стих—никад мање од пет мора и никад више од пет слогова; други стих—никад мање од седам мора и никад више од седам слогова.

Пролећна киша.
Мâлих жâбā
стомаци суви.
Бусон

Снêг ра́сте
на тра́ви бамбуса,
баш је за плêс.
НН

Предвечēрје.
У средини грâда
један лептӣр.
Такараи Кикаку

Равнодневница.
Он био, она није.
Ко је пратилац?

Драгон на небу;
превртљӣв облāк,
а сада је слон.

Сребрна капља
све́тли на мом носу.
Нêма кише. ВМ

БЕЛЕШКЕ И ИЗВОРИ

Захваљујем се својој сестри Душанки Ђурић и сестрићу Вадимиру Ђурићу на разноврсној помоћи, која је учинила овај рад квалитетнијим, пре свега језички.

1. Српској двосложној метрици и лингвистици била је дата историјска могућност и привилегија да се нађу међу раним истраживачима метрике 30-их и лингвистике 60-их година 20. века. Српски специјалисти су могли тада да установе прави, тј. пуни модел двосложне метрике и да реше можда све метричке проблеме јер су имали на располагању све потребне интелектуалне алатке у метрици. Слично се десило и са истраживањем језика. Ноам Чомски (Noam Chomsky) и његови сарадници почињали су да стварају крајем 50-их и почетком 60-их година *генеративну граматику*, признато најбољу теорију језика. Српска лингвисткиња Милка Ивић, жена познатог српског лингвисте Павла Ивића, написала је први, изузетно успешан и популаран приказ основа

генеративне граматике на енглеском. Та чињеница је обећавала могућност да српски језик буде међу првим језицима коришћеним за анализу, а српски лингвисти да буду међу раним истраживачима тог новог језичког модела. И шта се десило? Професор Едвард Станкјевич (Edward Stankiewicz), професор словенске лингвистике Чикашког Универзитета у то време—иначе студент и пријатељ Романа Јакобсона (Roman Jakobson)—рекао је свом пријатељу Павлу Ивићу да генеративна граматика има „морфолошку предрасуду" („morphological bias"), и да зато, сасвим оправдано, није задовољавајућа. И поред те тачне чињенице, Милка Ивић је могла да закључи да ако је заиста у питању најбоља постојећа теорија језика, онда ће њихови истраживачи сигурно и сами--уз њену помоћ као говорнице језика са врло богатом морфолгијом--установити да су направили грешку и да ће је поправити. Тачно то се ускоро и остварило, тј. та грешка је исправљена (врло вероватно захваљујући објашњењима и утицају Станкјевича). Али Милка Ивић, нажалост, подлегла је утицају са стране, напустила рад на генеративној граматици (која је, иначе, изузетно интелектуално захтевна и комплексна), те тиме одузела Београдском универзитету историјску шансу да се укључи међу пионире истраживања и развоја генеративне граматике. Дакле, исто што се догодило са изучавањем метрике било је и са изучавањем језика: Милка Ивић није веровала водећим лингвистима и њиховом лингвистичком моделу као што српски професори метрике и лингвистике нису веровали колективној компетенцији српских добрих песника.

Тако се српска наука у те две области нашла, и још налази, у више него незавидном положају: на српским универзитетима се предаје непотпуни модел двосложне метрике и једна превазиђена теорија језика.

2. ПАРНАС, Зборник Лирике Српске и Хрватске. Саставио Божидар Ковачевић (Братство-Јединство, Нови Сад, 1955), стр. 52.
3. Dialogues Roman Jakobson and Krystina Pomorska (The MIT Press, Cmbridge, Massachusetts, 1983), стр. IX-X.
4. Следећи прозодијски елементи речи постојали су од самог почетка новоштокавског до данас: нагласак, дужина изражена мôрама, кратки и дуги узлазни, кратки и дуги силазни, кратки и дуги високи и само дуги ниски тонови, и метрички помоћни нагласак на дужим речима.

За овај рад важан традиционални и увек савремени концепт *„иктус“*, тј. његова метричка функција, интегрални је теоретски и практични део МП који се односи на метрички удар или (им)пулс јаког слога или јаког времена стопе и стиха. Што се српске двосложне метрике тиче, нема објективног и оправданог разлога да се термин иктус не користи. Исти је случај и са јединицама *„стопа“* и *„мôра“*, пошто оне поред својих метричких функција имају и корисну објашњавачку улогу омогућавајући прецизније и економичније анализе и дефиниције. Неки професори музике који се баве и песничком метриком тврде да је концепт „стопе“ непотребан зато што она не постоји у музици, а неки лингвисти аутосегменталне фонологије пишу да њихова формална метричка правила не захтевају употребу стопе као метричког концепта. За новоштокавску двосложну метрику, напротив, двосложна стопа је једна од најважнијих и најфункционалнијих јединица на којој су засноване главне функције стиха. Такође, у српском језику дефиниција лингвистичког термина „акцен(а)т" мора да се прецизира, јер у пракси метричара и лингвиста он укључује у себе више од једне денотације: комбинацију нагласка и тона, или само тона, што често доводи у забуну. Неки лингвисти чак пишу да су у речима српског језика речи „акценат" и „нагласак" синоними, што, на пример, омогућава апсурдну синтагму „узлазни нагласак" према „узлазни акценат", што ствара додатну конфузију. Тај термин је проблем који тек треба да се реши. Понекад ће бити коришћен, али само под наводницама. У језицима који немају тонове у речима, као што су руски, енглески и немачки, речи „акценат" и „нагласак" јесу чисти синоними.

5. Кирил Тарановски, *Принципи српско-хрватске версификације*, Прилози за књижевност, Београд, стр. 19.

6. Изгледа да је познати хрватски песник Густав Матош био први да почетком 20. века погрешно тврди да у новоштокавским двосложним песмама нема ни једне метрички правилне песме. Срећом, он је био бољи интуитивни песник-метричар него свесни критичар метрике песама. Долазећи носиоци ММ су његову нетачну тврдњу, нажалост, претворили у правило.

7. Вук Стефановић Караџић, *О српској народној поезији,* Предговор лајпцишком издању 1824, Сабрана дела Вука Караџића, књ. I, Београд, 1964.

8. Српски сељаци су од времена Немањића до Косовске битке били потпуно потлачени. Немања је третирао сељаке као своје робље: он је једном приликом поклонио неколико српских села, све са сељацима, монасима манастира Хиландар „на уживање". Могуће је само замислити какав је био живот сељака под влашћу монаха, које је Сава Немањић описао у својој исповедн(ичк)ој песми „Слово о мукама" (прва песма у *Антологији* Миодрага Павловића). Сељаци су својим дугим, бар шестодневним робовским радом, одржавали Цркву, династију и локалну властелу. Поређења ради, у Енглеској је 1215 године—кад је Сави Немањићу било 40 година—енглеска властела успела да уведе парламент из главног разлога да онемогући владајућој династији да настави да експлоатише сељаке до потпуног осиромашења, због чега локална властела није више могла да профитира. Деведесет пет процената радног времена сељака одлазило је краљу. Парламент је тај проценат смањио на деведесет процената. Колико ли су сати недељно српски сељаци—без парламента--морали да раде под Немањићима да задовоље потребе горе наведеног тројства. Поред тога--а ово је историјски изузетно важно--Црква је уз подршку династије и српске елите забранила сељацима да певају народне песме, да свирају своју музику и играју народна кола. Песме сељака су називали

разним погрдним именима. Та забрана је трајала од Саве Немањића до почека 19 века. (Извор: *Наш народни еп* Светозара Матића, странице 235 и 267.) Колико ли је традиционалног народног, пре свега, усменог фолклорног блага нестало, само зато што је српска писмена елита подцењивала сељаке и није имала интереса да се народне бајке, приче, песме, пословице и загонетке запишу и сачувају за будућа поколења. Пошто се после боја на Косову владајућа класа разбегла, народ је—срећом--остао без Цркве преко шеснаест деценија. По доласку Османлија, живот српских сељака у неким областима живота постао је лакши и слободнији него под диктатуром Немањића и Цркве.

9. Милосав Тешић, *Јамби на расклапање Рајка Петрова Нога*, ПОЕТИКА 3, стр. 3-39.

10. Леон Којен, савремени водећи метричар Београдског универзитета—сада у пензији--тврди да српски епски десетерци нису силабичко-тонски већ да су само силабички, а остали, тј. не-епски, да јесу. Нормално коришћење синкопација и у епским десетерцима је најбољи доказ да су сви асиметрични десетерци силабичко-тонски.

11. Otto Jespersen, *Notes on Metre* in The Structure of Verse, Modern Essays in Prosody, editor Harvey Gross (A Fawcett Premier Book, 1966), стр. 114.

12. Matthew B. Winn and William J. Idsardi, „*Musical evidence regarding trochaic inversion*“, часопис Language and Literature, 2008, vol. 17, no. 4, 335-349.

13. За проблеме односа метра, музике, језика и ума/мозга у контексту теорије еволуције, најкорисније су ми биле следеће три врло информативне књиге: Daniel J. Levitin, *This is Your Brain on Music*, the Science of a Human Obsession (A Plum Book, 2007, 322 стране), Aniruddh D. Patel, *Music, Language and the Brain* (Oxford University Press, 2008, 513 страна) и Robert Jourdain, Music, the Brain and Ecstasy (Harper Perennial, 1997, 377 страна).

14. The American Heritage Dictionary of the English Language (Dell Publishing Co., Inc., 1079), стр. 25.

15. Нада Милошевић-Ђорђевић, *Лирске народне песме*, Антологија српске књижевности (Учитељски факултет у Београду и компанија Microsoft, 2009).

16. Стеван Луковић, *Јесења кишна песма*, Антологија новије српске лирике, Богдан Поповић (Српска књижевна задруга, Београд, 1956), стр. 255.

17. ПАРНАС, Војислав Илић, *На дну реке*, стр. 185.

18. Јован Дучић, Стихови и проза (Свјетлост, Сарајево, 1952), стр. 144-145.

19. Исто, стр. 29.

20. Леон Којен, Студије о српском стиху (Издавачка књижарница Зорана Стојановћа, Сремски Карловци—Нови Сад, 1996), стр. 157-158.

21. Исто, стр. 240.

22. Сима Пандуровић, *Везе*, Антологија српског песништва Миодрага Павловића, (Српска књижевна задруга, Београд, 1964), стр. 383.

23. Милан Ракић, Песме (Просвета, Издавачко предузеће Србије, Београд, 1956), стр. 150.

24. Милан Ракић, *Adagio II*, стр. 131.

25. Леон Којен, Студије, стр. 236.

26. Јован Дучић, *Залазак сунца*, стр. 27-28.

27. Милан Ракић, *Мисао*, стр. 182, и *Долап*, стр. 156.

28. Леон Којен, Студије, стр. 97-98.

29. Милан Ракић, *Старост I*, стр. 170-171.

30. Aniruddh D. Patel, стр. 155. (Видети Белешку 13.)

31. Милосав Тешић, *Јамби на расклапање Рајка Петрова Нога*, Поетика 3, стр. 3-39.

32. Исто, стр. 17.

33. Јован Дучић, *Акорди*, Стихови и проза, стр. 31.

34. Јован Дучић, *Коб*, Антологија српског песништва Миодрага Павловића, стр. 365-366

35. ПАРНАС, Силвије Страхимир Крањчевић, *Ели! Ели! Ламâ Азâвтани?!,* стр. 196-197.

36. Логично је претпоставити да су најбољи уметници они које публика сматра и великим уметницима и одличним техничарима; то је идеал који се тешко постиже. Али уметник је велики и кад није најбољи техничар, а најбољи техничар је најбољи техничар, али не увек и најбољи интерпретатор, тј. уметник.

„И Артур Рубинштајн (Artur Rubinstein) и Владимир Хоровиц (Horowitz) се сматрају двојицом највећих пијаниста двадесетог века, али они су правили грешке—изненађујуће често. Погрешна нота, преврeмена нота, нота која није одсвирана добро. Али, као што је један критичар написао, 'Рубинштајн прави грешке на неким својим плочама, али ја ћу увек више вредновати оне интерпретације које су пуне страсти од двадесетогодишњег мађионочара који може да свира ноте али не може да изрази значење'." (Daniel J. Levitin, This is Your Brain on Music (A Plume Book, 2006), стр. 208; мој превод.) Таква је ситуација у класичној музици, а за народну песму и музику сличну ту идеју изразио је и Федерѝко Гарсѝја Лòрка (Federico Garcìa Lorca) на јединствено свој начин у инспирисаном поетичном есеју „Теорија и функција *дуенде*": „Једном приликом, Андалузијска певачица фламенка, Пастòра Павòн (Pastòra Pavòn, *La Niña de los Pèines* (Девојка са Чешљевима), сетна шпанска генијалка са имагинацијом која може да се мери са Гòјом (Goya) или Рафаѐлом ел Гàљом (el Gàllo) [познатим борцем са биковима], певала је у једној малој гостионици код Кàдиза (Càdiz). Она је певала својим гласом од сенки, својим гласом течног метала, гласом покривеним маховином, и гласом замршеним у њене дуге косе. Она би поквасила свој глас у манзанѝљи (*menzanìlla*), [подврсте белог *fino sherry* вина], или би га изгубила у тамним и удаљеним честарима. Упркос томе, потпуно је подбацила; ништа није одговарало намери. Публика није реаговала. [...]

> Пастора Павон је завршила певање у општој ћутњи. Само је један мали човек [...] рекао саркастично врло тихим гласом: 'Viva Paris!', као да је хтео да каже: 'Овде ми не тражимо способност, технику или мајсторство. Овде ми обраћамо пажњу на нешто друго'."

„У том тренутку *Девојка са Чешљевима* устала је као опседнута, сломљена као средњевековни оплакивач, попила је без застоја велику чашу *казàље* (*cazálla*), ['*a fire-water brandy*', тј. врсте препеченице], и села је да пева без гласа, без даха, без тананости, док јој је грло горело...али са *дуѐнде* [*duénde*, нешто сродно некој врсти „врелог" *карасевдаха* (?)]. Успела је да се ослободи скеле песме, да омогући пут за помамни и ватрени *дуенде*, компањона песковитог ветра, што је учинило оне који су је слушали да ритмички цепају своју одећу, као Карипски црнци груписани пред сликом Св. Барбаре."

„*Девојка са Чешљевима* морала је да поцепа свој глас, јер је знала да је слуша *елита* која не тражи форме већ срж форми, музику узвишену до чисте суштине..." (Lorca, *The Penguin Poets*, 1960, стр. 130-131; мој превод са енглеског).

Највећим делом српске историје, српска елита није имала ни стваралачке уметничке квалитете, ни тако развијен капацитет меморије, ни тако широко разноврсно знање као што су традиционално имали сељаци. Специјалисти би требало да се позабаве мало тим проблемима и поштено упознају јавност са историјским истинама које не бацају привилеговану светлост на недостојне владајуће класе. Црква је највећи кривац за историјску патњу свих сељака и непостојање великог дела њиховог усменог стваралаштва. Количина талентованих сељака-уметника и квалитет њихових умотворина никада се неће дознати због историјске неодговорности углавном српске елите. У неким земљама Европе народно стваралаштво је инспирисало индивидуалне уметнике, песнике и композиторе да стварају велика дела под инспирацијом уметности неписмених сељака. Надајмо се да ће се у будућности и у Србији и у Европи најзад признати високи квалитет, елеганција и музичка вредност најсофистициранијег европског модела двосложне метрике, МП.

37. Леон Којен, Студије, стр. 29.

38. Леон Којен, Огледи о поезији, (Београд, 2012), стр. V.

39. Исто, стр. 83, белешка 7.

40. Исто, стр. 115-116.

41. Исто, стр. 101.

42. Исто, стр. 110.

43. Исто, стр. 102, белешка 27.

44. Јован Дучић, *Звезде,* Стихови и проза, стр. 56.

45. Милан Ракић, *Минаре, стр.209.*

46. Кирил Тарановски, „Основни задаци статистичког израчунавања словенског стиха“ (на руском), Poetics II (Mouton & Co., PW—Polish Scientific Publishers, Warszawa, 1966), стр. 177 и 194.

47. M.L. Gasparov, A History of European Versificaion (Clarendon Press, Oxford, 2002), 303 pages.

48. Исто, стр. 33.

49. Новица Петковић, Језик у књижевном делу (Нолит, 1975), стр. 246.

50. Милосав Тешић, Дар и коб (Чигоја штампа, 2006), стр. 9-14.

51. Милосав Тешић, Млинско коло (Завод за уџбенике, Београд, 2010), стр. 72.

52. Новица Петковић, стр. 248.

53. Исто, стр. 250.

54. Јован Дучић, *Јабланови*, Стихови и проза, стр. 35

55. Милан Ракић, *Кондир,* Песме, стр. 125.

56. Јован Дучић, *Јутрењи сонет,* стр. 55. Нагласио сам синтагму *акценатска целина* да обратим пажњу да у овом случају значењска реч функционише исто као и клитика у описаном процесу.

57. Божа Ковачевић, ПАРНАС, стр. 364-365.

ЛИТЕРАТУРА

- *A History of European Vesification by M. L. Gasparov (Claredon Press, Oxford, reprinted 2006, (1996)).*
- *Антологија новије српске лирике, саставио Богдан Поповић (Београд, десето издање, 1956).*
- *Антологија народних јуначких песама, Војислав Ђурић*
- *Antologija Hrvatske Poezije od najstarijih zapisa do Kraja XIX St., odabrao i priredio Ivan Slamnig (Lykos, Zagreb, 1960).*
- *Benson, Morton uz saradnju Biljane Šljivić-Šimšić, Srpskohrvatsko-Engleski rečnik (University of Pennsylvania Press и Издавачко предузеће „Просвета“, Београд, 1997).*
- *За и против Вука, приредио Сава Дамјанов (Лимес, Службени гласник, 2016).*
- *Ивић Павле – Илсе Лехисте, Прозодија речи и реченице у српскохрватском језику, Целокупна дела Павла Ивића, књ. VII/2 (Ср. Карловци, Нови Сад, 1996).*
- *Jakobson Roman, Studies in Comparative Slavic Metrics, Selected Writings IV (The Hague – Paris, 1966, pp. 414-464).*
- *Караџић Вук Стефановић, Српске народне пјесме II, приредио Владан Недић (Београд, Просвета, 1969).*

- *Караџић Вук Стефановић, О српској народној поезији, Предговор лајпцишком издању 1824, Сабрана дела, књ. I (Београд, 1964).*
- *Којен Леон, Јакобсон и основе модерне метрике (Јужнословенски филолог, Београд, 1997).*
- *Кошутић Радован, О тонској метрици у новој српској поезији (Београд, 1940).*
- *Лирске народне песме, Нада Милошевић-Ђорђевић у Антологији српске књижевности Учитељског Факултета Универзитета у Београду, 2009.*
- *Lord, Albert B., The singer of Tales (Atheneum, New York, 1970).*
- *Матић Светозар, Наш народни еп и наш стих (Матица Српска, 1964).*
- *Милованов Лука, Луке Млованова Опит наставлења к српској сличноречности и слогомјерју или просодии (Издао Вук Караџић, Беч, 1833).*
- *Нова антологија српске лирике. Прво доба (Српска књижевна задруга, Београд, 1943).*
- *Nova Hrvatska Lirika I, priredio Dr. Mihovil Kombol (Nolit, Beograd, 1956).*
- *Павловић Миодраг, Поезија и култура—Огледи о српским песницима XIX и XX века (Нолит, Београд, 1974).*
- *Пантић Мирослав, Народне песме у записима XV—XVIII века. Антологија. Избор и предговор (1964).*
- *Петковић Новица, Језик у књижевном делу (Нолит, 1975).*
- *Петровић Драгољуб – Снежана Гудурић, Фонологија српскога језика (Институт за српски језик САНУ, Прилози граматици српскога језика (Београдска књига – Матица Српска, 2010).*

- *POETICS POETYKA ПОЭТИКА I и II (1961 и 1996, Mouton & Co. – The Hague -- Paris, PWN – Polish Scientific Publishers, Warszawa).*
- *Porobić Sead, Ispitivanje razvoja versifikacije u poeziji Bosne i Hercegovine. Doktorska disertacija na Hamburškom Univerzitetu (Hamburg, Juli, 2007).*
- *Пипер Предраг -- Иван Клајн, Нормативна граматика српског језика (Матица Српска, Нови Сад, 2014).*
- *Речник српскога језика, (Измењено и поправљено издање (Матица Српска, 2011).*
- *Ружић Жарко, Српски јамб и народна метрика (Институт за књижевност и уметност, Београд, 1975).*
- *Style in Language. Edited by Thomas A. Sebeok (Published jointly by the Technology Press of Massachusetts Institute of Technology and John Wiley & Sons, Inc., New York – London, 1960).*
- *Тарановски Кирил, Принципи српскохрватске версификације, Прилози за књижевност, језик, историју и фолклор 20/1-2, 14-28 (1954).*
- *Тешић Милосав, Дар и Коб (Песме. Чигоја штампа, Библиотека Арахна, Београд, 2006).*
- *The Princeton Encyclopedia of Poetry and Poetics, Fourth Edition (Princeton University Press, 2012).*
- *Fabb, Nigel – Morris Halle, Meter in Poetry, A New Theory with a chapter on Southern Romance by Carlos Piera (Cambridge University Press, 2008).*
- *Hayes, Bruce, Metrical Stress Theory – Principles and Case Studies (The University of Chicago Press, Chicago and London, 1995).*
- *Chatman, Seymour, A Theory of Meter (Mouton & Co., London The Hague Paris, 1965).*

САДРЖАЈ

БИОГРАФИЈА

Владимир К. Миличић, рођен 1929. Студирао на Београдском универзитету, у Паризу и на Чикашком универзитету, где је добио MA и ABD, 1965. Предавао на Западном Вашингтонском универзитету 33 године, прво руски језик и руску књижевност па затим лингвистику. Последњих двадесет година био директор лингвистичког програма генеративне граматике. Добио Excellence in teaching award. Објавио двадесетак разноврсних чланака и организовао шест симпозијума и једну серију предавања, који су штампани у шест књига, од 1980 до 1993, на следеће теме: Structuralism; Interdisciplinary Aspects of Academic Disciplines; Western's Outdoor Sculptures; On Stupidity; Chaos and Chaos Theory; Nonexistent Objects; Festschrift for Ulrich Mammitzsch са предавањима о "Some Models, Concepts and Ideas I Found Useful in Teaching and Research". Почашћен од колега и администрације тајно припремљеним Festschriftom. Пензионисао се као Professor Emeritus.

EMAIL:
VLADMILI (a)AOL.COM

Уредник:
Драган Миленковић

Аутор корица
Ратомир Димитријевић

Ликовно-графичко уређење:
Зоран Стојковић

Коректура:
Маријана Миленковић

Издавач:
ИП "Просвета" а.д.
Кнеза Михаила 12, Београд

За издавача:
Драган Миленковић,
генерални директор

Штампа:
Топаловић Ваљево

Штампано у 500 примерака

CIP - Каталогизација у публикацији
Народна библиотека Србије, Београд

821.163.41.09-1:398]:801.66
821.163.41.09-1:801.66
801.6

МИЛИЧИЋ, Владимир К, 1929-
Пуни модел српске двосложне метрике / Владимир К. Миличић. - Београд : Просвета, 2019 (Ужице : Графичар). - 143 стр. : граф. прикази; 21 cm
Тираж 500. - Стр. 6-8: Прилог језичком разумевању или Јесмо ли на Вуковом путу / Миломир Краговић. - Биографија: стр. 143. - Белешке и извори: стр. 127-138. - Библиографија: стр. 139-141.

ISBN 978-86-07-02222-9

a) Српска народна поезија - Версификација b) Српска поезија - Версификација c) Прозодија

COBISS.SR-ID 274642700